サムライが消えた武士道の国で、
いま私たちがなすべきこと

戦うことは「悪」ですか

防人と歩む会会長
やおよろずの森代表
葛城奈海(かつらぎなみ)

扶桑社

戦ってでも守りたいものは、ないのですか?

はじめに

新型コロナウイルス禍によって社会に閉塞感が漂うようになって早一年余。テレワークやオンライン授業、オンライン飲み会など、仕事でもプライベートでも人と人とが直接顔を合わせずに物事が進んでいくことが多くなった。「密」を避けることが難しい大きなお祭りやイベントは軒並み中止や延期になり、人と触れ合う時間も機会も大幅に減った。飲食店やアパレル、歌手、役者、タクシー運転手その他、いわゆる「お客さん」を相手にする職業の方は時短営業や自粛で営業機会が大きく損なわれ、経済的に困窮し、そこに孤独化が相まって、自ら命を絶つ人が増えているのも厳然たる事実だ。令和三（二〇二一）年五月一日現在、東京は三度目の緊急事態宣言の発令を受けて、昼間の商店街を歩いていてもシャッターを閉めたままの店が増えているのがわかる。私自身、コロナ禍が始まって以来、地方での講演の機会は激減した。扶養家族を持たない私にとって、経済的打撃はさほどでもないが、自由業や自営業の友人知人の多くは青息吐息であ（あおいきといき）る。グローバル化とともに進んでいた社会の分断、孤立化に、コロナが止（とど）めを刺しているように思える。

しかし、よくよく周りを見ると、苦しんでいる人ばかりではない。わかりやすいところで言えば、政治家や公務員は何ら給料に影響もなく、むしろ給付金で潤（うるお）っている。それ自体が悪いことだとは思わない。むしろその分、経済を回すことに貢献してもらえれば有り難い話だ。問題なのは、自分さえよければよいという考えのもと、経済的に困窮している人々に目を向け、手を差し伸べようとしないことだ。知人が苦しんでいれば、直接支援することもできるだろう。知人でなくても、同じ町内の飲食店に意識的に足を運ぶことだってできる。もちろん、国として肝心なのは政府の政策だが、それに従ってさえいればあとは関係ないという生き方をしている人が多くないだろうか。

国の政策がいつも正しいとは限らない。いや、むしろ正しいことのほうが少ないかもしれない。おかしいと思うときには、おかしいと声を上げることが国民としての責任だろう。と同時に、ささやかでも自分にできることを具体的に実行していくことが、先人たちから託されたバトンを次の世代へと繋（つな）いでいく、「今を生きる者の責任」であると私は思う。

では、今の日本に根本的に欠けていることは何なのだろうか。

◉「八紘為宇」という建国の理念

その答えを探すために、「日本を日本たらしめているもの」について考えてみたい。

日本という国は、そもそも、どのようにして建国されたのだろうか。フランスやアメリカであれば、それぞれ「自由・平等・博愛」「自由・平等・独立等」を旗印に建国されたことがよく知られている。これにあたる、日本の建国の理念はいったい何だろうか。『日本書紀』によれば、初代・神武天皇は「橿原建都の詔」で、「掩八紘而為宇」（八紘をおいて、宇とせん）、つまり、「天の下にひとつの家のような世界を創ろう」と述べている。この「八紘為宇」こそが日本の旗印なのだ。

神話などただの物語で歴史的事実ではないと軽視する人もいる。が、重視すべきは、それが歴史的事実であるかどうかというよりも、先人たちが価値あることとして大切に語り継いできたという事実であろう。

かくいう私も、この詔を元につくられた「八紘一宇」という言葉を、長年「好戦的なナショナリストのスローガン」だと思い込んでいたひとりだ。しかし、「建国の詔」に触れ、原義はまったく逆であったことに衝撃を受けるとともに、自らの先入観と不勉強を恥じた。

「八紘一宇」は、「大東亜戦争(だいとうあせんそう)」とともに、戦後意図的にGHQによって消し去られた言葉だ。具体的には、昭和二〇(一九四五)年一二月一五日に出された覚書(「国家神道、神社神道ニ対スル政府ノ保証、支援、保全、監督並(ならび)ニ弘布(こうふ)ノ廃止ニ関スル件」)により、公文書による使用が禁止され、即時停止されたのだ。「大東亜戦争」という言葉は「太平洋戦争」に置き換えられて日本人の意識から消えていったが、「八紘一宇」は置き換えられなかった代わりに危険思想という印象を強く植え付けられた。

戦後教育によって、本来の意味を捻(ね)じ曲げられて覚え込まされた国民が多数を占めるようになってしまったが、仮に、日本人が、この建国の理念の本来の意義を忘れずにいたら、日本は天皇陛下を家長とする「ひとつの家」、国民はみな「兄弟」だ。ひとつ屋根の下に暮らす兄弟が、ある日突然、自らの意思に反して暴力的に連れ去られ、異国で苦しみ続けているとしたら、それを黙って見過ごせる家族がいるだろうか。普通の感覚の持ち主なら、危険を冒してでも救い出したいと切望するであろう。現下のコロナ禍においても苦しんでいる同胞(どうほう)たちも、みすみす見殺しにはできないはずだ。

現代の日本では、建国の理念などすっかり忘れ去られていることが、日本社会の分断に拍車をかけていると言えないだろうか。

そうは言っても、日本人のＤＮＡには、こうした理念が受け継がれ続けていると感じることもある。

例えば、東日本大震災の被災者が助けに来た人に対し、「この奥には自分よりもっと苦しんでいる人がいるから、そちらを先に助けてほしい」と言ったというエピソードにも表れているし、諸外国の人が驚嘆したように、どんなに空腹でも獣のように食料を奪い合うことなく整然と列をなして配給を待てる日本人の姿となっているように思う。

さらに強烈に建国の精神を感じさせるのは、英霊をはじめとする先人たちだ。先人たちが受け継いできた、この広大な理想の対象は日本一国にとどまらない。

先の大戦で沖縄の海に散華された特攻隊振武隊隊長の渋谷健一少佐は、幼い娘たちに「世界に平和がおとづれて万民太平の幸をうけるまで懸命の勉強することが大切なり」と書き遺している。われわれ日本人は他者を蹴落としてでも自分さえ勝てばいい、他国を踏み躙っても自国さえ繁栄すればいいといった考え方をよしとしない。日本人のＤＮＡにはこの壮大な理念が埋め込まれているのではないか。

それが、欧米列強の強圧的な植民地支配とは対照的な、アジア太平洋諸国での統治となって表れ、ひいては現地の人々の熱烈な親日感情を育んだのであろう。

だからこそGHQは、日本人に脈々と受け継がれる建国の理念「八紘為宇」に恐れをなし、消し去ろうとした。

そのようにして少なくとも日本社会の表層からは失われつつある宝のような価値観を、今こそ日本人が自覚し、そこに立ち返ることが、弱肉強食の世界を「強者が弱者を助け共に生きる世」へと導く鍵になるように思えてならない。

大ヒット中の映画『鬼滅の刃　無限列車編』で「もうひとりの主役」煉獄さんの母が、亡くなる前に、まだ幼い我が子にこう問いかける。「なぜ自分が人よりも強く生まれたのか、わかりますか？」。その答えは、「弱き人を助けるためです」「弱き人を助けることは、強く生まれた者の責務です」。母の言葉を胸に刻んだ煉獄さんは、その言葉を体現して生き、そして散る。私はそこに日本人が受け継いできた美学を見る。

「戦後レジームからの脱却」「日本を取り戻す」とは、極論すれば「八紘為宇」という建国の理念を取り戻すことではあるまいか。

◉戦ってでも守りたいものは、ないのですか？

令和元（二〇一九）年五月、北方四島ビザなし交流の訪問団の一員として国後島を訪れた日本維新の会の丸山穂高衆議院議員が、元島民の団長に対し「戦争でこの島を取り返すのは賛成ですか、反対ですか」などと問い詰めたことが物議を醸した。

この発言そのものについては、ここでは置く。強烈な違和感を覚えたのは、これを機に地上波テレビの番組等で見受けられた「戦争は、なにがなんでも絶対悪」という短絡的で無思考一辺倒な論調だ。

言うまでもなく、戦争など好んでするものではない。しかしながら、話し合いでどうしても解決がつかなくなったとき、あるいは、相手が武力をもって侵攻してきた場合、戦わなければどうなるのか。そんな世界的に見れば子供でも理解しているであろう現実を知ってか知らずか、有識者らが真顔で「戦争をしないことこそ正義」であるかのように語る姿に開いた口がふさがらなかったのだ。彼らに問いたい。「戦ってでも守りたいものは、ないのですか？」と。

そのような発想であれば、日本の平和と独立を守るために存在する自衛隊など、そもそも不要ということにならないか。現実に目を向ければ、世界の国境線は、そのほとんどが戦争によって引かれ、動かされ、あるいは守られてきた。大東亜戦争で先人たちが命を賭して戦わなければ、とうの昔に日本は消滅していたかもしれない。

自分たちの支配を正当化するため、GHQは、WGIP（War Guilt Information Program＝ウォー・ギルト・インフォメーション・プログラム）、つまり「戦争についての罪悪感を日本人の心に植え付けるための宣伝計画」と呼ばれる、したたかな洗脳工作を行った。焚書と検閲によって徹底的に水面下で行われた心理作戦の浸透力はすさまじく、メディアはその影響に色濃く支配された。日本は去勢され、「戦うこと」は有無を言わさず「悪」という価値観が蔓延するに至った。それが、戦後体制だ。

外交交渉の基本は、「片手に棍棒を携え、穏やかに話す」（セオドア・ルーズベルト）ようなもの。最終的には戦うことも辞さない、という武力の裏付けのない交渉は、相手国になめられ放題だ。その顕著な犠牲者が、北朝鮮による拉致被害者であろう。

無自覚のうちに日本人を包んでいる戦後体制の闇の深さを思い知ったとき、私の人生の目的は、「この闇を祓い、建国の理念に立ち返り、八紘為宇の世界を築くこと」になった。

その実現のためには、まず日本人自身が「闇」の存在に気付き、目を覚まさなければならない。

本書では、数々の場面でそう思うに至った実体験をお伝えしながら、読者のみなさんとともに日本が進むべき道を模索していきたい。

ＷＧＩＰの呪縛(じゅばく)から令和の御代(みよ)にこそ解き放たれ、高らかに日本の旗印を掲げようではないか！

戦うことは「悪」ですか　目次

はじめに

第一章　尖閣諸島を守る

第二章　拉致被害者奪還

第三章　先人たちの慰霊・顕彰、そして思いの継承

第八章　古事記の時代から続く日本の捕鯨

表紙写真──奥川　彰
装　幀──村橋雅之

第一章　尖閣諸島を守る

(1) 尖閣漁船衝突事件――腸が煮えくり返った日本政府の対応

　そのとき自分の中に渦巻いた感情を、どのような言葉で表したらよいのか、あれから十年以上の歳月が流れた現在も、私はこれぞと思う表現を見つけられずにいる。強いて言うなら、耳に入っているはずのすべての音が消え失せ、しばしの不穏な静寂の後に、突如、ぼっと炎が燃え上がる音を聞いた、そんな感覚だった。

　そのときとは、平成二二（二〇一〇）年九月、日本の威信を守ろうと海上保安官たちが体を張って尖閣沖で逮捕した中国漁船の船長が処分保留のまま釈放され、逮捕に当たっては海に投げ出された海上保安官が中国船に引き殺されそうになったという噂まで流れていたというのに、政府が頑なに現場映像の公開を渋っていた、そのときだ。

　当時政権を握っていたのは、菅直人内閣総理大臣率いる民主党であった。一連の対応に、いったい誰のための政府なのかと思わざるを得なかった。「国民への影響や、日中関係に配慮」というが、船長を釈放することが、日本国民にいったいどんな益を与えるというのか。国民を納得させたいのであれば、逮捕に至る一部始終を堂々と映像で公開すればよいではないか。日中関係に波風立てないようにというのは、つまり中国の意のままになることを甘んじて受け入れろということではないのか。そこに、国を背負うものとしての誇りと責任は微塵（みじん）も感じられなかった。

　船長が釈放された二日後の夜、酒席を共にしていた韓国人留学生がつぶやいた。「日本政府は大きな大きな過ちを犯した。中国のみならず、日本との間に領土問題を抱えるロシアも韓国も、今回の日本の対応を注視していた。それがこういった結末になったということは……」。彼が言葉を濁したその先は、メドベージェフ大統領の北方領土訪問という形で、残念ながら、すぐさま現実のものとなった。

　メドベージェフ大統領が国後島を訪問したのとまさに同じ日、一部の国会議員に六分五〇秒に編集した尖閣ビデオが公開され、その三日後の一一月四日深夜、YouTube（ユーチューブ）上に約四四分の映像が流出した。そこから始まった各メディアの報道には大きな違和感を抱いた。テレビをつければどのチャンネルでも、「犯人捜し」に余念がなかったからだ。公務員であるにもかかわらず、このようにして秘密を漏洩（ろうえい）したのはどこの誰なのだという報道一辺倒であった。私はその裏に「意図」を感じずにはいられなかった。義憤に燃えて映像を流出させた海上保安官の行動を百歩譲って「小さな罪」だとしても、そこにスポットライトを当て、本来次元の違うほど「大きな罪」を犯した政府の決断から国民の目を逸（そ）らせようとしたのではないか。念のために付け加えておくと、私にとって、政府が国の尊厳を傷つけてまで隠そうとした映像を職を賭して公開し、尖閣で起きた事実を国民に知らしめた一色正春（いっしきまさはる）さんは、むしろ英雄である。

　映像で現実を目の当たりにした国民は、衝撃を受けた。そして、当時の民主党政権に対して大きな抗議の声が湧（わ）き上がった。「尖閣を守ろう」という街頭署名、デモ行進、そして募金活動。特に、当時の石原慎太郎都知事が尖閣諸島を東京都で購入しようと呼びかけた尖閣募金に対しては、一四億円にも上る寄付が集まったのだから、いかに多くの人が問題意識を持っていたのかがわかる。

　一色さんとは、その後面識を得、いろいろとご教示頂くようになったが、言われてはっとしたことがある。「尖閣事件はなにも民主党政権だけのせいではないんですよ。それまでの長い長い自民党政権の間、中国漁船に対してずっと事なかれ対応してきた結果なんです。中国漁船だって、いきなり衝突してきたわけじゃありません。ＥＥＺから接続水域に

尖閣海域に向かう第一桜丸

入り、領海に入っても日本はろくな対応をしてこない。じゃあということで領海内でも漁を始め、ついに体当たりしてきた。映像をよく見ると、衝突してきた漁船以外にもたくさんの中国漁船が近くにいるのがわかります」。

そう聞いて、深く納得した。要は、これぞ戦後体制なのだ。中国漁船に毅然とした態度をとったりしたら、もしかしたら戦争になってしまうかもしれない。戦争は絶対悪だから、決してしてはいけない。戦争になるくらいなら、事なかれ対応で済ませておいたほうがいい。そうやって、長い間、腑抜(ふぬ)けた対応をしてきた結果が、尖閣漁船衝突事件を生んだ。同じようなことは、これまであちこちで起きていたに違いない。しかし、そうした不都合な真実は、ずっと隠されてきたのであろう。ところが、今回は現場映像が白日の下に曝(さら)された。戦後体制の醜悪さを、これほどまで赤裸々に国民が目の当たりにしたことはなかったのではないか。この千載一遇(せんざいいちぐう)のチャンスを、日本が戦後体制から脱するためのトリガー(引きがね)にしなければ、もう二度と、日本は真の意味での自立国として再生することはできないのではないか。そう思った私は、決めた。

そうだ、尖閣に行こう。

(2) 尖閣への道——三・五メートルの荒波を越えて一一時間

そう決めたのはよかったが、尖閣は遠かった。石垣島までは飛行機で行ける。しかし、尖閣諸島はそこから北北西に九〇海里（一七〇キロメートル）先だ。どうしたものかと思っていたところに、キャスターとしてお世話になっている日本文化チャンネル桜の水島総（さとる）社長が「頑張れ日本！　全国行動委員会」として、「国がこんなに体たらくなのであれば、国民の手で尖閣を守ろう！」と呼びかけたところ、たくさんの浄財が集まった。それで購入することができた漁船を「第一桜丸」と名付け、石垣島の漁師さんたちとともに尖閣に向かうことができるようになったのだ。

しかし、初回は諸般の事情で海上保安庁により許されたのが、伴走船での二〇海里までの同行のみであった。二〇海里という距離感がよくわからないままに、「見渡せば四周が海」という環境にまでは行けるのだろうと予想していたのだが、ところがどっこい、「はい、ここが二〇海里」と言われたところで振り返ると、まだ石垣島はそこにあった。がっくりすると同時に「待てよ」と思った。

領海は一二海里。一海里は、一八五二メートルだから、約二二キロメートル。と言っても、海上の二二キロメートルがどれくらいの感覚なのかはなかなかピンとこない。それが、二〇海里を経験したことで、領海の一二海里というのがいかに陸から近いかということを実感できた。つまり、「領海侵犯」というのは、例えて言うなら、自分の家の庭先に知らない人が勝手に入ってきてずかずかと歩き回っているようなものなのだ。

私が実際に初めて尖閣諸島をこの目で見たのは、事件から一年と少し経った平成二三（二〇一一）年一一月一日であった。東シナ海は、秋から冬にかけて、どんどん波が高くなる。一〇月二四日に石垣入りし、波が穏やかになるのを待っていたが一向に凪いでくれる兆しがない。当初は、二トン～三トンの小さな漁船も一緒に漁業活動を行う予定であったが、遭難する危険性が高いため、七・九トンの第一桜丸とほぼ同じ大きさの良福丸の二隻で出航することになった。

午前三時、石垣島の南側にある新川漁港から出航。バラバラと雨が降ってくる。同乗しているのは、石垣の海人、吉本晴一さんと大嶺直也くん、日本文化チャンネル桜の水島総社長と阿久津有亮カメラマン、そして尖閣に上陸経験のある報道写真家の山本皓一さんだ。ほどなくすると吉本船長から「時化てるから予想よりだいぶ時間かかるよ」と言われる。

三〇分ほどで外海に出ると、そこからの波は容赦なかった。波高三・五メートル。一波ごとに船体ごと海に叩きつけられるので、「木の葉のよう」を通り越して、まるでビニール袋の中に入った小石のようだ。ビニール袋ごと、スナップを利かせて海面に打ち付けられるような感じなのだ。漁船は人に優しくできていないことを文字通り痛感した。そもそも座席がないから、船室内にディレクターチェアのような椅子を持ち込んでいる。だが、その椅子は船体に固定されていないので、一波ごとに吹っ飛ばされそうになる。そうならないために、どこかにしがみつきたい。しかし、残念ながら、握る場所もない。仕方なく横にある船窓のサッシを握ろうとするのだが、これまたそんな空間は存在していないので指で挟むようにして必死で摘まむしかない。鍵の部分に何度も頭をぶつけた。私が座っているすぐ後ろに大きなコンパスが置かれていたため、時折方角を確認しようと振り返りたくなるのだけれど、首を後ろに向けようものなら、それだけで体が吹っとんでいきそうになる。コンパスを設置してある板が背骨に当たる。大きな衝撃がきたら危険だと思い、船内に転がっていたドーナツ状の緩衝材（接岸の際に使うもの）を板と背中の間に挟んだ。

　船内での移動もままならず、どうしても移動したいときには三次元に動く床に這いつくばっていくしかなかった。床に横になっている阿久津カメラマンを見ると真っ青な顔をしているが、カメラが傷つかないようにしっかりと抱きかかえている。カメラマン魂を感じた。

　狭い船室内に視野を限ると、あっという間に酔いそうになる。しかし、外は真っ暗。室内は明るいし、雨と飛沫(ひまつ)で窓も濡れているので、目をこらしても見えるのは白くぼんやりと浮かび上がる舳先(へさき)のみだ。それでも、その先に広がっているはずの海を凝視する。気分がいいわけはなく最低なのだが、移動するだけで使い物にならなくなってしまっては行く意味がない。必死で、正気を保とうと努めた。私の人生の中で、もっとも「まなじりを決した」一夜であったと思う。

　夜明けが近付くにつれ、次第に鉛(なまり)色の空と鼠(ねずみ)色の海面の境が見えてきた。ようやく大正島らしき島影が見えた。と思ったが、次の波の山が消えると、島影も消えた。どうやら幻を見たらしい。そうやって、波に翻弄(ほんろう)されること一〇時間、船速が落ちた。「島が見えるよ」と吉本船長。ついに、遠く水平線上にぽかりと浮かぶ、本物の大正(たいしょう)島が見えた。いつしか天候も海況も回復しつつある。尖閣諸島は五つの島と三つの岩礁(がんしょう)から成るが、大正島は魚釣(うおつり)島から東北東の方角に約一一〇キロメートル、もっとも東に位置し、映像などで紹介されることも滅多にない「知られざる島」だ。

島が見えてから約一時間後、目前にまで近づいた大正島は、岩肌が剝き出しで植物がほとんど生えていない、老獪な印象を与える岩の島であった。カツオドリのほかたくさんの鳥が舞っている。あちこちで岩が白くとろろ昆布状になっているのは、鳥たちの糞だった。南側から時計回りに一周する。北西部の低いところに、一部赤くなっている地層があった。これが、大正島を別名「赤尾嶼」という由来だ。

引き縄で漁をし、波が静かなところで、釣り上げたばかりの二匹、ツンブリとバラハタを甲板上で海人ふたりが慣れた手つきで捌いてくれた。不要な部分は、そのまま海に戻している。初めて食べる尖閣の魚の刺身を嚙みしめた。感慨も相まって美味であった。

二時間ほどで大正島から西の久場島へ移動し始めると、再び天候が崩れ、波も荒くなってくる。一時間二〇分ほどで到着した久場島は、大正島とは対照的に、島の名前の由来にもなっているクバの木に覆われ、緑豊かでたおやかな印象の島だった。別名を「黄尾嶼」という。

荒海の洗礼を受けた初の尖閣行きで急務だと感じたことがふたつあった。

ひとつは、船溜まりの整備。尖閣は絶海の孤島だ。ひとたび出航してしまえば、羽を休める場所がない。漁師さんたちによると、尖閣での漁は二泊三日で行うことが多いという。夜には錨を降ろして休むこともあるが、時には島から「おろし風」が吹き、いつの間にか船体が島に吸い寄せられ危険な思いをすることがある。港とまでは言わずとも、安心して休めるよう、せめて船溜まりくらいは早急に整備すべきであろう。

もうひとつは通信基地の整備。僚船である良福丸とは、出航してわりとすぐに無線が通じなくなってしまった。荒れた海でお互いの安否がわからないのは、大変心配であった。幸い、海上保安庁の巡視船みずきが良福丸からの伝言を衛星電話で仲介してくれたお陰で、無事を知ることができたが、魚釣島に通信施設があれば、こういった不安からも解放される。

暗くなってきた一八時過ぎ、魚釣島南の海域を通過しつつ、帰路についた。今度は追い風になるのでその日のうちに帰港できるかと思いきや、日付が変わる頃にようやく船の両サイドに島の灯りが見えてくる。左は石垣、右は西表島だ。「あと三〇分」というところで初めて船室の窓を開けた。風が心地いい。いつしか天候も回復していて、行く手にはオリオン座が輝いていた。午前一時四〇分。登野城漁港に帰港。良福丸は既に接岸していて、サワラ、イソマグロ、カツオ、キハダなど見事な釣果をあげていた。

翌日、出航を見合わせた漁師たちから「ホントに行ってきたの？」と目を丸くされたことをよく覚えている。

(3) 島々に肉薄できた国有化前の尖閣

鮮烈な初の尖閣行きであったが、そのお陰で、その後は多少波に叩かれても「あの時に比べれば」と思えるようになった。その後は、二隻から多いときには一四隻の漁船団で尖閣へと向かったこともある。「頑張れ日本！　全国行動委員会」としてメンバーを公募し、尖閣で漁船の集団操業を行ったこともたびたびあったし、国会議員や都議会議員が同乗して行ったことも何度もある。いつも一緒なのは水島さんだ。議員でもっとも回数が多かったのは、長尾敬衆議院議員の五回で、国有化以降の水産庁や海上保安庁との交渉等で大変力になってくれた。私自身はその年のうちにもう一回、翌平成二四（二〇一二）年に四回、平成二五（二〇一三）年に八回、平成二六（二〇一四）年に一回、計一五回尖閣海域に出漁した。さまざまな事情で出航はしたものの途中で引き返さざるを得ないこともあり、石垣から出航した回数は二〇回ほどになる。

　第一桜丸をふだん管理してくれている砂川幸徳（こうとく）さんは、潜（もぐ）り漁をメインにする漁師だ。ダイビングのインストラクターというもうひとつの顔も持つ。親分肌で人望も厚い「幸ちゃん」こと幸徳さんと徳次郎、幸三、忠賜（ただし）さんという三人の弟たち、息子の晃輝（てるき）さんらが中心となり、潜り漁をメインに一本釣りや引き縄という漁法で魚を獲る。

　海人たちと付き合っていると、ついつい敬語を忘れてしまう。なにせ、直也くんは自分の親と同年代の吉本さんを「せいいちー」と呼び捨てにするのだ。

　尖閣に行くたびに、「豊かな海」を実感した。そして、いろいろと魚の認識が変わった。一番驚いたのは、サワラの大きさだ。それまでサワラといえば、せいぜい五〇～六〇センチメートルほどだと思っていたのが、尖閣のサワラは軽くその倍以上ある。港に戻ってきてすぐ刺身にして食べたことがあった。大味なのかと思いきや、もっちりとして甘く、ほっぺたが落ちそうなほど美味しかった。それから、夜光貝。正倉院御物（しょうそういんぎょぶつ）などにも「螺鈿（らでん）」として使われている、七色に輝く、あの貝だ。外観は巨大なサザエのような形状をしているが、これも尖閣に行くと大人の頭ほどもあるのが通常サイズになる。バター焼きが絶品だ。尖閣の代表的な魚といえば、高級魚のアカマチ。またの名をオナガダイ。釣れるときにはこれがどんどん釣れるが、他にもクエ、マグロ、カツオ、ヒラマチ、ビタロー……。一本釣りで、一時間半ほどの格闘の上、釣り人憧れの魚と言われるGTことロウニンアジが海面近くに上がってきたときには、まるで畳がヒラヒラしているかのようだった。目算だが、一メートル二〇センチ以上はあったと思う。カジキマグロが竿にかかったこともあったが、これまた一時間半ほど奮闘したものの、糸を切られて逃げられてしまった。私自身が釣り上げたもので思い出深いのは、体長四〇～五〇センチメートルほどあるアカレイという赤い魚。年甲斐もなく「やったー！」とハシャいでしまったが、海人いわく「毒魚だよ。痺れるから、嫌なやつがいたら送ったらいい」。

一五回の中で特に印象深かったのは、平成二四（二〇一二）年九月一日、当時尖閣諸島の購入を公言していた東京都が約二四七四トンもある大きなサルベージ船・航洋丸をチャーターして調査団を送ったときだ。調査団を追いかけるようにして出航したこのときは、私が経験した尖閣の中でもっとも凪いでいて、鏡のような海面であった。

東京都の調査団は、サルベージ船から小型船とラバーボートを降ろし、上陸こそしないものの各種の専門家が魚釣島と南北小島の周囲でそれぞれに調査を行っていた。この様子は、東京都の「尖閣諸島ホームページ」に写真や動画とともに掲載されているので誰でも見ることができる。

東京都の調査団は日没前に石垣へと帰って行ったが、絶好のコンディションのもと、私たちは尖閣海域に残り、尖閣の五つの島、魚釣島・北小島・南小島・久場島・大正島と三つの岩礁、沖の北岩、沖の南岩、飛瀬（とびせ）、すべてを回った。

特に美しかったのが、北小島と南小島の間にある水路だ。幅は狭いところで約二〇〇メートル、長さは四〇〇~五〇〇メートル。水深が浅いため、明るい水色をした海面からまるで海底まで見通せそうなほどであった。島々にも肉薄でき、魚釣島にはかつて鰹節（かつおぶし）工場があったときにつくられた石垣や水子地蔵の供養碑、野生化したヤギ、北小島には漂着した難破船や大きな流木、久場島の漂着ゴミなども手に取るように見ることができた。この時の船長は、吉本晴一さん。一〇代・二〇代のころは釣れないときなど父親とともに、よく泳いで北小島や南小島に上陸したという。かつて北小島の平坦（へいたん）地には墓地があり、南小島の平坦地には人が生活していた跡があったそうだ。ちなみに、南小島の南端にひときわ尖（とが）った岩が屹立（きつりつ）しているが、これが「尖閣」の名前の由来だといわれている。

実は、この前月、ある事件が起きた。八月一五日に香港の「保釣行動委員会」の活動家ら一四人が乗船している抗議船が日本の領海内に侵入し、内七人が魚釣島に上陸した。警察と海上保安庁に逮捕された一四人は、取り調べを受けたものの、上陸する際に、抗議船の進路規制を行う海上保安庁の巡視船に煉瓦（れんが）やコンクリート片などを投げつけていたにもかかわらず起訴されなかった。身柄を引き渡された法務省福岡入国管理局那覇支局によって全員の強制送還手続きがとられ、一七日には石垣島停泊中の抗議船と那覇空港からのチャーター機で香港に強制送還された。つまり、国はまたしてもあっさり釈放したのだ。

これに抗議するため、水島さんをはじめとするわれわれの仲間一〇人が上陸した。海外出張中だった私はそこに居合わせることができず、大変悔しい思いをしたが、逆にその場にいなかったために、九月の出航を海保に阻止されなかったのも事実だ。そのため、このときだけは水島さんが来ることが叶わず、第一桜丸一隻のみで出航していた。前月の借りを返すわけではないが、岩礁のひとつ、沖の南岩に上陸しようと思い、船室で着替え始めた。すると、海保との調整役を務めるスタッフから「今後のこともあるので、上陸は思いとどまって」と言われ、ならばせめて尖閣で泳いでみようと思い、海に入った。沖の南岩のすぐそばで比較的穏やかな海面を選んで入水したのだが、泳いでいるつもりが海中の景色が変わらない。要は、予想以上に潮の流れがあり、無意識のうちにそれに抗して泳いでいていっこうに進んでいなかったのだ。ボンベを着けているわけでもなく、私の泳力で長居は危険と思い、早々に船に戻った。しかしながら、海中には体長二〇センチメートルほどの黄色い体に尾びれだけが青い魚がたくさん泳いでおり、それがとてもきれいだった様子が目に焼き付いている。

久場島近くで夕暮れ時を迎えた。水平線へと沈みゆく太陽から西日を浴びながら、持参した龍笛（りゅうてき）（雅楽の横笛）で「君が代」を吹奏した。尖閣海域では、終戦間際に第一千早丸と第五千早丸という老人と婦女子一八〇名余を乗せた二隻の疎開船が米軍の機銃掃射を浴び、多くの犠牲者を出している。彼らの御魂（みたま）に届いただろうか。

その後、北小島の島影で夜を明かすことにした。尖閣に向かう際には、夜中に石垣を出航し、夜明けとともに尖閣海域に到達、そこから漁を始め、暗くなって星を見ながら石垣に戻るのが常であった。が、この時初めて、尖閣で錨を降ろし、エンジンを切った。人工的な音が消えると、聞こえてくるのは、ちゃぷん、ちゃぷんという、穏やかに船腹を打つ波音と、海鳥たちの鳴き声のみ。夜になっても、意外なくらいにたくさんの海鳥たちが鳴いていた。ここは、カツオドリ、アジサシ、サギなど鳥たちの楽園なのだ。ちなみに、かつて尖閣諸島にはアホウドリがたくさんいた。アホウドリから採取された羽毛が日露戦争の折には、兵隊の防寒着として役立ったという。

折しも、その夜は満月であった。水平線から上ってきた黄金色の満月を見て、石垣の若き海人、一九歳の直也くんが言った。「あれ、太陽？」。人工的な灯りが一切ない大海原に上がってきた満月は、それほどまでに煌々（こうこう）と輝いていた。

月あかりに照らされながら、男たちは夜釣りをした。五〇匹ほどを釣り上げる大漁だったが、竿にかかった魚を追いかけてきたサメも一〇匹ほどかかり、駆除したという。かかった魚の何割かがサメに食われるという被害も出た。石垣島周辺でも夏場にはよく「サメ駆除中」と掲示した漁船を見かけるが、ここもまたサメの多い海域であることを実感した。

夜明け前にエンジンを再始動し、船首を東に向けて大正島を目指した。二時間半後、刻々と色を変える薄明の空にシルエットで浮かび上がった大正島は、おどろおどろしかった。が、岩と岩の間から本物の太陽が昇ってくると、それはそれは神々（こうごう）しく、思わず手を合わせずにはいられなかった。

そして、これが、島々に肉薄できた最後の尖閣行きとなった。

（4）突然の国有化で一変した尖閣の海

それは突然の発表だった。平成二四（二〇一二）年九月一一日、それまで私有地だった尖閣諸島の三島、魚釣島、北小島、南小島を国が二〇億五〇〇〇万円で購入、国有化したと発表したのだ。

石原慎太郎都知事が同年四月に都による購入を発表、つい一〇日前に都の調査団が尖閣で調査するのを目の当たりにしたばかりである。まさに寝耳に水であった。しかしながら、石原都知事は、ヤギの駆除や漁礁（ぎょしょう）の設置などを唱えていた。東京都の購入によって日中間の摩擦が大きくなると恐れた野田佳彦内閣が、先手を打ったのであろうことは想像に難くない。

以来、中国公船が現れるようになった。

当初、ニュースで、「中国公船が領海侵入」と聞いたときには、領海と接続水域の境、一二海里のあたりを出たり入ったりしているのだろうと漠然と思っていた。ところが、国有化後に初めて行った平成二五（二〇一三）年一月、既に公船は島までの距離もわれわれ漁船との距離も三海里まで詰めてきた。そして、驚いたことに、海保は私たち日本漁船が尖閣諸島の一海里以内に接近することを禁止してきたのだ。巡視船の電光掲示と、巡視船から降ろされたゴムボートからの拡声器で「尖閣諸島の一海里以内に入ることは政府により禁止されています」と呼びかけてくる。一海里離れると、海はぐっと深くなる。幸ちゃんたちが一番したいのは潜り漁だ。ボンベを背負い、水中銃で魚を撃って獲る潜り漁は、岩礁のある浅い海でしかできない。一本釣りと引き縄はできたが、当然ながら、獲れる魚の種類も量も激減した。

日本漁船に対する海保の過剰警備は、次第にエスカレートし、同年三月には二海里以内に入ることを禁じてきたから開いた口がふさがらない。納得できないので、その内側に入ろうとすると、ゴムボートで我々漁船の周りを暴走族のごとくグルグルと回った。そんな状況で魚が釣れるわけもない。はるばる時間と燃料代をかけて九〇海里（一七〇キロメートル）を渡って行ったにもかかわらず、このときの釣果はなんとゼロであった。海人たちのモチベーションが下がっていったのは、言わずもがなである。

翌四月に集団漁業活動として一〇隻で訪れたときには、制限海域が二海里から一海里には戻されたものの、中国公船が八隻で領海に侵入してきた。このころから、中国公船はわれわれとの距離を詰めてくるようになった。公船が接近してくると海保は、「危ないですから、逃げてください」という。おかしな話だ。尖閣は、日本の領土領海で、領土問題は存在しないのではなかったか。であれば、なぜ、「われわれが守りますから、みなさんは安心して漁をしてください」と言えないのだろう。水島さんを中心に問題提起したところ、その後、次第に海保も「逃げてください」とは言わなくなった。

翌五月には、我々漁船が四隻、公船は三隻であった。

そして、忘れもしない、七月一日未明。四隻で出航し、いつものように夜明け前に南北小島および魚釣島前の海域に達した。東の水平線から美しい朝日が昇り、尖閣の島々のシルエットを浮かび上がらせていた。いつものように「尖閣諸島への上陸は政府により禁止されています。尖閣諸島の一海里以内に接近しないでください」と巡視船のばるが電光掲示に緑色の文字で伝えてくると共に、巡視船から降ろされた小型船やゴムボートに乗った海上保安官も拡声器を使って同様に呼びかけてくる。水島さんが「上陸はしません」と言っても、マシーンのように同じセリフを繰り返された。不毛なやりとりを続けていると、ほどなく海保から「中国公船が接近していますので、気を付けてください」と連絡が入った。

その言葉が終わるか終わらないかというタイミングで、大きな中国公船「海監51」が視界に入り、目の前、魚釣島すれすれのところを悠々と横切っていくではないか。そんな状況であるにもかかわらず、海上保安官たちは、背後の中国公船よりも目前のわれわれ漁船に向かって、「一海里以内に入らないでください」を連呼しているのだ。続いて、このひと月前に鳴り物入りで就役（しゅうえき）した最新艦「海監5001」も大きな顔で島の前を横切っていく。こちらに向かってビデオカメラを回している乗組員の姿も見える。付近には「海監23」「海監49」もいる。「海監51」はご丁寧に再び戻ってきて、これ見よがしに私たちの前を横切った。魚釣島に一番近いのは、中国公船、その外側に海保の巡視船、その外側に海保のゴムボート、そして私たち日本漁船。この状況を第三者が客観的に見たら、魚釣島はどこの国の島に見えるであろうか。日本の海のお巡りさんが日本人の接近を阻止している内側で、中国公船が私たちをあざ笑うかのように何度も行ったり来たりしているのだ。

なんという倒錯した光景だろう。誰がどう見ても、魚釣島は中国の島にしか見えないはずだ。このとき領海に侵入した中国公船は四隻、国有化後五〇回目となる領海侵犯だった。いったいこの国に、国土や国民を守る気はあるのだろうか？

これだけ、緊張の度合いが高まったのだから、次の回はどうなるのだろう、ひょっとしたらまた中国人が上陸したり、数百隻の大漁船団が押し寄せてきたりするかもしれない。そう思い、いつも以上に肚（はら）をくくって出航したら、なんと、その次の回からは、すっと公船が引いてしまった。直後の回は、現実に公船は現れなかった。その後は、現れはするものの、「やる気」がなくなったことがありありとわかった。アリバイ作りのために、その場にはいるけれど……という感じだ。

その不自然さに直感した。アメリカが日中両国に圧力をかけたに違いない。常々アメリカは、尖閣は安保条約第五条の適用範囲なので、いざという時にはアメリカが日本を守ると言っている。しかし、アメリカだってあちこち問題山積で余裕はない。日中が適度にいがみあっていてくれる分には武器や装備品も売れて都合がよいが、本当に米軍を出してまで日本を助けるなんて極力避けたい。だから、中国には、「まあまあこれくらいにしといてやってくれ。その代わりに、日本政府には、決して日本人が尖閣に再上陸したりしないように強く言っておくから」と言い、日本政府には「中国にこれ以上行動をエスカレートさせるのはやめておけと言っておいたから、日本政府としてもゆめゆめ日本人を上陸させないように」と言ったに違いない。残念ながら証拠はないが、強くそう思った。

平成二四（二〇一二）年一二月、安倍晋三首相が返り咲き、政権が再び自民党に戻った。自民党が野党だった時代、何人もの国会議員がわれわれとともに尖閣海域を訪れた。それだけに、少しは対応がマシになるかと淡い期待を抱いた。

しかし、そんな期待は儚く散ったばかりか、平成二六（二〇一四）年春からは、「尖閣に行く」と言った瞬間、水産庁が突如規制、私たちの出港さえ認められなくなったのだ。それまで私たちは「漁業見習い」として漁船に乗ってきたが、水産庁はわれわれの事を漁業従事者、つまり漁業見習いとは認められないという理屈だ。水産庁が根拠としている通達は、漁業従事者の労働条件を守る趣旨のもので、労働契約をきちんと結ぶようにと書いてある。が、どこの漁師町でも見習いとして船に乗せる者、つまり使いものになるかどうかも未知数な者に雇用契約など結んでいない。明らかに尖閣に向かうわれわれを狙い撃ちにする言いがかりであった。到底納得できず、水島さん、長尾議員を中心に猛抗議したところ、同年八月に一度だけ出港の許可が下りたが、それが最後になった。

仕方なく、純然たる石垣の海人だけで行ってもらっても、一海里以内に入ることは許されない。「日本の領海」なら、日本の漁師が漁をするのは当然で、それを脅かす外国船がいるなら、日本漁船を守って漁をさせるのが国家の務めであるはずだ。ところが、中国公船には海保もアリバイ作り程度に領海外への退去を呼びかけはするものの、実質的には事なかれ対応に終始し、日本漁船を追い払う。悲しいかな、内弁慶（うちべんけい）そのもので、事実上、中国の増長を手助けしているのが海保なのである。命令とはいえ、真に国を思う海上保安官ならやりきれないだろう。

「あそこは、もう日本じゃないよ」。石垣の海人が告げる実態を、政府は、国民は、どう受け止めるのだろうか。「主権、領土、領海を守りぬくことは、自由民主党が国民から課せられた使命です」。平成二八（二〇一六）年、一月一四日、『尖閣諸島開拓の日式典』に寄せられた、安倍首相のメッセージが虚しく響いた。

（5）魚釣島を占拠しているのは、野生化したヤギ？　灯台の歴史

尖閣諸島は環境問題を抱えている。

最大のものは、野生化したヤギによる生物多様性の危機だ。

もともと尖閣諸島にヤギはいなかった。が、昭和五三（一九七八）年、魚釣島に灯台を建設し、その後保守点検に通っていた日本青年社が非常時の食料用にと魚釣島に雌雄一対

のヤギを持ち込んだ。ヤギは繁殖力が強い。気が付いたら、二頭が数百頭にまで増えてしまった。一説には、千頭に上るとも言われる。こうなるとその影響力は捨て置けない。

尖閣諸島は東シナ海に浮かぶ絶海の孤島だ。そのため、生物学上も貴重な生物たちが生息・生育している。昭和二七（一九五二）年から昭和五四（一九七九）年にかけて行われた調査によって、魚釣島では植物四一六種、動物三三二種が、北小島、南小島、久場島を含めると植物四三六種、動物四七二種が記録されおり、その多くが絶滅危惧種に指定されている。中でも注目したいのは、尖閣諸島にしか存在しないセンカクモグラ、センカクサワガニ、センカクツツジ、センカクオトギリ、センカクハマサジ、センカクトロロアオイといった固有種だ。爆発的に増えたヤギによって、これらの生物たちが直接的に食害にあう、もしくは間接的に食べ物や棲み処を奪われ、絶滅の危機に瀕している。長年、尖閣に通っている海人たちは「魚釣島の緑がどんどんなくなってきている」と口々に言う。貴重な生態系を維持するという観点でも、ヤギの駆除は急務だ。同様の問題意識から、アルピニストの野口健さんが中心となって「センカクモグラを守る会」が設立されており、平成二六（二〇一四）年一〇月に砂防会館で行われた第四回シンポジウムでは、私も最新映像を交えて現状報告をさせて頂いた。

ここで日本青年社の名誉のためにも、魚釣島の灯台について触れておきたい。

昭和五三（一九七八）年四月、百隻を超える中国の武装漁船が尖閣諸島海域に侵入し、一週間にわたる威嚇行動を行ったことがあった。このときの政府の対応に危機感を抱いた日本青年社が、同年八月、魚釣島に上陸し灯台を建設した。このとき上陸した同社「尖閣諸島上陸決死隊第六次隊のメンバーで現、民族派団体一水会代表の木村三浩氏によると、以後、毎年、同隊の隊員が上陸して電池の交換、保守、維持管理を行ってきたという。そうした活動によって、日本の領土や主権が主張できたばかりでなく、周辺を航行する船舶と漁民の安全を守ってきた。

実際、灯台設置から二年後の昭和五五（一九八〇）年八月には、台湾から神戸に向かう途中だったフィリピン船籍のMAXIMINA STAR号が台風によって遭難したものの、灯台の灯りを発見。灯りを頼りに灯台前に座礁し、上陸隊の宿舎に避難して、そこに蓄えられていた食料により、乗組員二三名全員が無事救助された。

こうした「実績」ある灯台を、平成二（一九九〇）年、海上保安庁は正式な航路標識として認めたが、なんと政府は中国の顔色を窺って先送り。海保の技術指導を受けて、既に一級灯台の資格を備え、実際に光っている灯台を正式に海図に記載しようという当然の要請が再三行われたにもかかわらず、外務省が「時期尚早(しょうそう)」として先送りし続けた。「国有灯台」として国が認知し、維持管理を引き継ぐまで、実に二七年という歳月を費やしている。

本来国が行うべき「実効支配による領土保全」が、民間の篤志家(とくしか)によって行われ、長い年月を経て、ようやく国がしぶしぶ重い腰を上げて追随した形だ。この間、体を張り、毎回百万～二百万円もの支出を重ねながら五〇回以上にわたって上陸、灯台建設、補修費と合わせると数億円以上をかけて日本の領土を守る礎(いしずえ)をつくってくれた日本青年社の行動は感謝と称賛に値すると私は思う。が、右翼団体というフィルターをかけたメディアも、この義挙を正当に評価、報道してこなかった。

毎回、尖閣に行くたびに最初に迎えてくれるのは、魚釣島のこの灯台の灯りだ。明滅するひとつの灯が、「尖閣に帰ってきた」と感じさせてくれる。国の妨害に怯(ひる)むことなく灯台を建設、保守点検し続けてくださった先人たちへの感謝の思いを忘れずにいたい。

（6）漂着ゴミ清掃を官民連携で

もうひとつの環境問題は、漂着ゴミだ。これはなにも尖閣諸島に限った話ではないが、尖閣にも魚釣島、久場島を中心に確実に漂着ゴミが存在する。

ただ単に景観の問題だと軽視する向きもあるが、漂着ゴミを甘く見てはいけない。漂着ゴミで多いのは漁具や発泡スチロール（魚を入れるもの）、ペットボトルなどだが、これらが強い日射しと潮で分解するとマイクロプラスチックという、大変やっかいなものになる。これまで私は南西諸島の西表島、小浜（こはま）島、石垣島、福岡県の宗像（むなかた）、長崎県の対馬（つしま）で漂着ゴミの清掃や調査を行ってきたが、遠目には一見美しく見える浜でも、近付いてみるとたくさんのゴミが流れついている。植物の根元に絡んだり、波の圧力で岩の合間深くに挟まっていたり、砂に埋まって一部だけが見えていたりするものは、引っ張り出すのにとても骨が折れる。中でも、細かく分解してしまったプラスチックは、とにかく回収が困難だ。

これを魚やヤドカリなどが餌と間違えて食べてしまうと、海の生態系に影響を与えるばかりか、食物連鎖で巡り巡って人間の体内にも取り込まれ、「自然のしっぺ返し」ともいうべき形で人体にも影響を及ぼす。死んだ海鳥や鯨の体内からビニール袋が出てきたなどという話を耳にすることもあるが、もっと目に見えない形で実は人間の健康も脅かされているのだ。平成三〇（二〇一八）年の宗像国際環境一〇〇人会議では、既に「世界の海はマイクロプラスチックのスープのようになっている」と報告された。

当然ながら、そのようなゴミを出さない社会システムの構築が肝要だが、その完成を待つ間、ひとたびゴミとなってしまったものは回収しなければならない。尖閣の漂着ゴミを回収するのにモデルになると思われるケースがある。西表島の南にある鹿川湾で行われている官民協同での漂着ゴミ清掃だ。

主催しているのは、八重山諸島の海洋環境保全を目的に海保などの行政機関や民間団体、個人が連携している八重山環境ネットワーク。海岸ギリギリまでジャングルに覆われた鹿川湾には陸路が繋がっていないため、東西から船で人員を運ぶ。西側の集落からは、漁船で島民を、東側は石垣島から海保が巡視艇を出し、往路は人を、帰路は人と回収したゴミを運ぶのだ。参加者は、島民、島外からのボランティア、環境省、水産庁の職員など、まさに官民一体となった取り組みだ。

これを尖閣諸島に応用し、巡視船がボランティアと回収したゴミを輸送する形で漂着ゴミ清掃をする、ということであれば、どうだろう。公務員が尖閣に常駐するほど高いハードルを乗り越えずとも、島の環境を保全しつつ実効支配を示すことにもなるのではなかろうか。

こうしている今も、大繁殖したヤギや漂着ゴミによって尖閣の自然は脅かされている。政府は日本人を上陸させない理由として、「島の平穏かつ安定的な維持管理」を謳(うた)っているが、このまま手をこまねいていては、尖閣の生物多様性は脅かされ、固有種が絶滅の危機に瀕する。まったくもって、平穏でも安定的でもないことを肝に銘じてほしい。

(7) 中国が実効支配の度を増す尖閣――もう「遺憾砲」では守れない

◉海警法の施行という「王手」をかけられた尖閣の危機

令和三(二〇二一)年二月一日、中国の海上警備を担う海警局に武器使用の権限を付与した海警法が施行された。中国公船が事実上武装し、沿岸警備隊の皮を被った軍艦になった。中国の言う「領海」で「不法操業」する漁船への武器使用も辞さないという。ついに

「王手」がかけられた感がある。中国は、サラミをスライスするようにじわじわとだが、確実に、実効支配の度を増している。

私たちのように現場に足を運んできた者は否が応でもそれを実感するが、国民がそうした現実を肌感覚でとらえることはなかなか難しいだろう。だからこそ、本来異常なことであるはずの領海侵入が日常化していても、それに麻痺（まひ）してしまっている。もはや異常が日常になったのだ。

わかりやすいと思われる例をひとつ挙げておきたい。中国は平成二五（二〇一三）年一一月二三日、尖閣上空に防空識別圏を設定した。それまで、ＮＨＫや共同通信など民間のメディアも尖閣上空にヘリを飛ばし、取材を行っていたが、以来、一切飛ばなくなった。今でもテレビで尖閣の映像を目にすることがあると思われるだろうが、よく見ると画面の隅に「資料」などと表示されている。つまり、過去の空撮映像だ。

海から近づけなくなったことは、これまで書いてきた通り。自衛隊や海上保安庁の航空機は飛んでいるものの、民間の目が入らなくなったということは、こんなことがあってほしくはないが、その気になれば、政府が恣意（しい）的な情報を国民に流すこともできるということだ。つまり、メディアは国の機関が発表する情報に頼らざるを得なくなっており、都合の悪いことは国民に知らされない可能性があるのだ。恣意的な情報操作を危惧していたら、まさにそれが現実になったと思える出来事が起きた。

令和二（二〇二〇）年五月一〇日の産経新聞に「中国公船、日本船を追尾」「尖閣領海厳重に抗議」という見出しが躍った。食い入るように読み進めると、日本漁船が接近、追尾されるのは「平成二〇年に中国船が尖閣周辺で確認されるようになってから今回で二回目」とあった。そんなはずはない。私自身が尖閣領海に行っていた平成二五（二〇一三）年に複数回、同様の経験をしている。当時は、石垣島に帰るときに領海を出るまで追いかけてくることが数回あった。自分たちが主張する「領海」から「日本漁船を追い出した」ということを映像で発表し、既成事実化したい意図が透けて見える気がしたものだ。怪訝（けげん）な思いをＳＮＳ等で発信していたら、翌日、海保は回数を四回に訂正した。果たして、単純な数え間違いだったのだろうか。

◉事なかれ対応で幕引きにしたツケ

今振り返って、平成二二（二〇一〇）年の尖閣漁船衝突事件をあのような事なかれ対応で幕引きにしたツケが小さくなかったことを改めて実感せざるを得ない。

前述の通り、直後にメドベージェフ大統領が国後島を訪問し、平成二四（二〇一二）年八月一五日には、香港の民間団体の活動家ら一四名が尖閣の領海内に侵入、うち七名が魚釣島に上陸した。

平成二六（二〇一四）年一〇月末には、小笠原諸島に中国から二一二隻の漁船団が押し寄せ、赤珊瑚（さんご）を密漁した。珊瑚は育つのにとても時間がかかる。その後、小笠原の漁師たちにも話を聞いたが、彼らは、子々孫々にまで海の恵みがもたらされるように、資源を保護しながら計画的に漁を行っていた。「例えて言うなら、自分たちは箒（ほうき）で掃くような漁をしていた。しかしながら、中国漁船は、掃除機を横一列に隙間なく並べて一気に吸い取っていくような漁の仕方をしていた」という。子孫を思い、大切に育てながら採っていた珊瑚をボロボロにされた漁師たちは、どれだけ胸を痛めたことだろう。さらに中国漁船は捕まりそうになると、網を捨てて逃げたため、大量の網が海中に残された。この網に自由を奪われて死んでいった魚（ゴーストフィッシュ）も少なからずいるはずだという。そうやって小笠原の海も傷だらけにされたのだ。

平成二八（二〇一六）年八月五〜九日には、中国漁船二百〜三百隻が尖閣海域に集結する中、中国公船も延べ二八隻が領海侵入した（接続水域に同時入域した公船は最大一五隻）。

◉東シナ海で進化し続ける〝ゴジラ〟

この年に大ヒットした映画『シン・ゴジラ』には深く考えさせられた。ゴジラというとそれまでなんとなく子供向け映画の印象を持っていた私だったが、この作品は安全保障を考える大人にこそ見てもらいたいと思った。

東京湾に出現したゴジラに右往左往する政治家たち。敵を軽んじ、自衛隊の出動を決断しかねるうちに、ゴジラは想定外の進化を遂げていく。ようやく自衛隊が出動、対戦車ヘリからいざ射撃という段になり、避難し遅れた国民を発見。「自衛隊が国民に銃を向けるわけにはいかない」との政治判断で、直前で射撃を中止する。近視眼的には二名の命を守ったこの決断が、その後、桁違い（けたちが）いに多くの国民の命を奪うことになる。事の軽重を冷静に見極め、時に覚悟をもって非情な判断を下さなければならない政治決断の重さと困難さがリアリティをもって伝わってきた。

精緻（せいち）な脚本・演出の力と、役者たちの心憎いまでの熱演とが相まって、大人が十分に楽しめる作品だったが、なにより、エンターテイメントに仮託して、現代日本の根幹に関わる欠点と、それによって引き起こされる危機を見事に浮き彫りにしている点に引き込まれた。

そして思った。南シナ海には、既に進化したゴジラが居座っているのではないか。それを知りながら、我が日本は、東シナ海でゴジラが進化していくのを指をくわえて眺めている、否、むしろ政府はその進化を手助けしているのではないか。

敵を甘く見て「毅然とした態度」をとらなければどうなるのか、『シン・ゴジラ』は末路を暗示していた。進化したゴジラには陸海空自衛隊の総力による攻撃もまったく歯が立たず、ついにはアメリカを中心とした多国籍軍が出動することになる。映画の中のこととはいえ、屈辱感で涙が溢れた。

◉このままでは「日本の固有の領土」とは名ばかりの島に

このように弱腰な対応に終始している日本政府だが、同様のケースに各国はどのような対応をしているのだろうか。

インドネシアでは、スシ水産大臣という日本人には大変親しみやすい名前の女性の大臣が、中国をはじめとする外国の違法操業船を排他的経済水域でさえ検挙し、拿捕した船をどかんと爆破している。「インドネシアを舐めるなよ」と、口先ではなく行動で示しているのだ。

そして、パラオ共和国。人口僅か一万八千人で、軍隊も持たない。そんな小国でさえ、平成二四（二〇一二）年、違法操業した中国漁船を警察船が追いかけ、停船させようとして警告射撃を行った。中国漁船はこの警告を無視し、小型艇二隻を降ろして操業を続けようとしたため、パラオ警察艇が小型艇を追跡、強制停船させようとエンジンを狙って射撃したところ、誤って中国人ひとりを射殺してしまった。それでも怯むことなく、小型艇に乗っていた残り五人を逮捕、他の二〇人は証拠隠滅のため、漁船に放火して海に飛び込んだが、最終的には二五人全員を逮捕、起訴している。人口僅か一万八千人の国が、である。日本の人口は、いったい何人だろうか？　一億二五五七万人（令和三年一月一日現在）、パラオの実に六九七六倍だ。はるかに優位な国力を持つはずの我が国が、領海内での違法操業を長年黙認してきたのだ。

そうした事実を知ってしまうと、日本の事なかれ対応は見るに堪えない。その基本姿勢は、政権が民主党から自民党に移っても、呆れるほどに変わらない。中国公船が領海に侵入すれば、判で押したように「遺憾の意」を表明し、アメリカの政権が変わるたびに「尖閣は安保条約五条の適用範囲」という言質を得て子供のように喜んでいるだけだ。忘れてならないのは、アメリカが五条の適用範囲と言っているのは、尖閣が日本の施政権下にある限りにおいては、の話だということだ。このままでは、気が付いたら島の一つに五星紅旗がはためいていた、などということが現実になってもまったく不思議ではない。そうなったら、既に「日本の施政権下にある」とは言えないのである。それよりなにより、「自国の領土領海だ」と言っている日本自身が、体を張って守る姿勢も見せていないのに、なんでアメリカが軍隊を出してまで尖閣を守るだろう。いくら同盟国でも、そんなお人よしの国はあるまい。尖閣は日本の領土だというなら、まずは日本人自身が血を流してでも守る決意を見せるべきだ。毅然とした態度がとれない日本を嘲笑するかのように、中国は厚顔の度を増し続け、このままではやがて竹島同様、「日本の固有の領土」とは名ばかりの島になるであろう。これを座視してよいのか。

◉「毅然とした態度」とは

漁船衝突事件の後、当時の石原都知事のリードで尖閣を都が購入しようとした際に集まった一四億円超の寄付が、電撃的な国有化で宙に浮いたままになっている。あの「一四億円」で、環境問題への対処はできないのか。漁業者を助ける通信施設や船溜りは。そもそも領海内での違法操業船は拿捕し、船長を刑に処し、船は爆破。それくらいしてはじめて「毅然とした態度」ではないのか。第一次安倍政権の公約「公務員常駐」は、どこに消えたのだろう?

一四億円を国に託すため、都が国への提案要求書を提出していることは、あまり知られていない。そこには、「尖閣諸島の戦略的活用の実施」として、「国の所有となった尖閣諸島について、ヤギの被害から貴重な動植物を守ることや、海岸漂着物の処理などにより自然環境を保全し、また、地元漁業者のための船溜りや無線中継基地、さらには有人の気象観測施設といった地元自治体が強く要望する施設を設置するなど、有効活用を早急に図ること」等が求められている。口先だけの抗議で国は守れない。

令和二（二〇二〇）年一〇月、環境省は、尖閣諸島の動植物の生態調査を行うと発表したが、よく読めば、「人工衛星の画像から」とある。開いた口がふさがらない（※1）。本気で尖閣を守ろうとするなら、東京都に寄せられた志を踏みにじらないためにも、国は、この具体的要求を粛々と実行すべきである。

（※1）令和三年三月三〇日、環境省は、尖閣諸島の南小島で絶滅危惧種のアホウドリのつがいが推定一一〇～一四〇組、確認されたと発表した。同省は、令和二年一一月に人工衛星で撮影した高解像度画像を分析し、中間報告をまとめた。同省による尖閣諸島のアホウドリ生息調査は初めて。過去の資料などからアホウドリの生息が確認された南小島と北小島などを調査した。南小島では平成一四年に民間専門家が行った上陸調査で約五〇組のアホウドリのつがいが確認されており、環境省担当者によると「人為的捕獲が行われず、過去の調査結果に比べ増加している可能性がある」と見ている。一方、北小島は調査日に雲がかかったため詳細な分析ができず、来年度以降に調査を繰り越すという。中国の機嫌を損ねない範囲での、日本国民向けアリバイづくりのための調査としか思えない。「やってるやってる詐欺（さぎ）」を感じずにはいられない。

◉尖閣の今

令和三（二〇二一）年二月六日。砂川幸徳さんら石垣の海人が第一桜丸と恵美丸で尖閣海域に出漁した。水島さんらとともに本来私も同行する予定であったが、例によって水産庁の決定に阻（はば）まれて叶わず、海人たちが撮ってきてくれた映像によって、「尖閣の今」を知り、唖然（あぜん）とした。

中国公船と海保の巡視船がなんの緊張感もなく、魚釣島の周りで共存しているのだ。領海内の魚釣島の至近（映像から判断するに一海里程度か）に中国公船「海警1301」と「海警2502」の二隻がどんと居座っている。これに対する海保の巡視船は八隻。幸ちゃんが乗る恵美丸が「海警1301」の後ろにぴたりとつけたが、何の反応もない。そのまま左舷（さげん）を並走し追い越していくように航行すると、だいぶ経ってからその間に海保の巡視船がゆっくり入ってきた。かつてのように警告の汽笛を鳴らすこともなく、ポーズとして一応やっているという空気感だ。

映像を見た一色正春さんは言った。「目の前で違法行為が行われているのに、このだらだらとした空気感は非常にまずいですね。これに付き合ってて、ある日突然牙（きば）を剝（む）いたとしても対応できないでしょう」。「緊張感がなくならないように定期的に報道がヘリを飛ばすなどして、見に行くべき」。「一歩一歩確実に侵略されているのが手に取るようにわかる」。「日中間に密約があるとも言われてますが、あながち嘘ではない気がする。仮にそれがあったとしても、彼らは約束を破るんですよ。その時にこの緊張感では対応できない」。

聞きながら、かつて一色さんが言っていた「中国漁船だって、急に体当たりしてきたわけではないんですよ。日本が長い間ずっと事なかれ対応をしてきた結果、中国が徐々に厚顔の度を増して、ついにどかんとぶつかってきたんです」という言葉を思い出した。形を変えて、今また同じことが進行中だと思えてならない。

例によって、帰路、幸ちゃんたちが石垣に向かい出すと公船が追いかけてきたが、なんの圧力も感じさせなかった。中国国内向けに、「こうやって中国領海から日本漁船を追い出しています」というアリバイをつくっているのだろう。一見、漁船を守るように間に入っている巡視船も、これまた気迫は感じられず、それぞれに「働いてますアピール」をしているかのようだ。幸ちゃんは言った。「どっちも日常化して飽きちゃってるんじゃない？」。

この日、中国公船が領海内にいた時間は約八時間半。海警法が施行された直後でもあり、政府は同日、「中国政府に抗議し、首相官邸の情報連絡室を官邸対策室に格上げした」そうだが、映像を見る限り、これもまた「やってるやってる詐欺」としか思えない。表の発表と現場の実態が、あまりにもかけ離れている。ふつうの国民がこの映像を見たら、そのギャップに愕然（がくぜん）とするであろう。かつて一色さんがYouTube（ユーチューブ）に投稿した中国漁船衝突事件の現場映像同様、政府の体たらくを如実に示し、世に問う貴重な証拠映像とも言えた。

私たちがゆめゆめ忘れてならないのは、こうした腰抜け対応が、すべて次の一歩を誘い込んできたということだ。「遺憾砲」ではとうてい尖閣を守れない。

第二章　拉致被害者奪還

（1）なぜ拉致被害者を取り戻せないのか？

平成二七（二〇一五）年、安全保障関連法案の改正をめぐって国会で大論戦が繰り広げられた。その際、よく耳にしたのが「自衛官の危険が増すのではないか」という、一見自衛官を慮っているような意見だ。こうした言葉を耳にするたび、私は虚しさを禁じ得なかった。

自衛官というのは、そもそも危険な職業なのだ。だからこそ、任官時に「事に臨んでは危険を顧みず、身をもって責務の完遂に努め、もって国民の負託にこたえる」と服務の宣誓をしている。国家・国民の危機に際しては、一般国民が助けを待っている場所にリスクを承知で自ら入っていく。そのような覚悟と誇りを持った自衛官にとって、虚しいのはむしろ、どんなに厳しい訓練を積んでも、必要な場面で日々錬磨してきた力を発揮することが許されず、守るべき存在が傷ついていくのを指をくわえて眺めているしかない場合であろう。

安全保障法制の改正以前、自衛隊が海外に駐屯（ちゅうとん）している際、他国軍に助けてもらうことはあっても、他国軍や民間人を助けることはできなかった。他国から見れば失笑もので、自衛官にとっては恥ずかしくも情けなく、誇りを傷つけられる要因であったろうことは想像に難（かた）くない。改正によって、「駆（か）けつけ警護」が認められるようになったことは素直によかったと思う。

しかしながら、「本来守るべき存在が、傷ついて苦しんでいるのをただ眺めているだけ」という現実は、もっと身近なところにあるのではないか。それが、北朝鮮による日本人拉致問題だ。

政府によって認定されている拉致被害者は一七名（内五名は平成一四年に帰国）だが、警察によって拉致の可能性が排除できないとされる行方不明者は八七五名（令和三年五月現在）に上る。この中には、実際には北朝鮮による拉致でない行方不明者も含まれるであろうが、逆に、身寄りがなく、ご家族の届け出もない場合など、カウントされていないにもかかわらず実際には拉致被害者というケースもあるはずだ。したがって、八七五名という数字は、決して誇張されたものとは言えないのだ。それだけ多くの被害者が存在しているにもかかわらず、「切れ目のない安全保障体制」を謳いながら、改正一〇法案を一括した「平和安全法制整備法案」と新法「国際平和支援法案」の中に、拉致被害者救出に資するものは見当たらなかった。当時の安倍晋三首相は「拉致問題は最優先課題。オールジャパンで取り組む」と言っていたのに、である。一日千秋の思いで帰国を待ちわびてきた被害者のご家族にとって、この審議の空虚さはいかばかりであったろう。与党も野党も、いったいなぜ拉致問題にまったく触れなかったのだろうか。

私はそこに、「米国が望まないことは進まない」戦後体制の闇の深さを感じざるを得ないのだ。

(2) シミュレーションで拉致被害者役をして感じたこと

平成二〇（二〇〇八）年六月、当時、公募の予備自衛官であった特定失踪者問題調査会代表・荒木和博さんを中心に、元自衛官や予備自衛官からなる「予備役ブルーリボンの会」が設立された。当初から私はその一員で、現在は幹事長を務めている。ブルーリボンと名の付く団体がたくさんある中で、自衛隊関係者ならではの強み、知見と技術を活かして拉致問題解決に資することはなんだろうと考え、これまで数回「北朝鮮工作員侵入・拉致シミュレーション」を行ってきた。

陸上自衛隊の特殊作戦群および海上自衛隊の特別警備隊といった特殊部隊出身者らが工作員役をすることで、拉致を実行する側の視点から見えてくるものがあるのではないかと考えたからだ。

ケミカルライトを使って誘導する固定スパイ（地域住民に溶け込んで暮らしているスパイ）に導かれ、工作員が工作小船から水中スクーターを使って上陸し、水中スクーターは浜に隠匿(いんとく)、岩陰で釣り人の姿に変身、釣り竿(ざお)を持って何食わぬ顔でアジトに向かう様子や、その工作員に日本人が拉致される様子などをさまざまなシチュエーションで再現した。

結果、拉致そのものはほんの数十秒で実行できてしまうこと、しかしながら、その土地に根差して情報を提供する固定スパイや見張り役など、ひとりを拉致するのに六～一〇人の人間が関わる必要があることなどが見えてきた。

私は被害者役を務めたが、シチュエーションは例えば、こうだ。海辺を歩いていたところ、「写真を撮ってください」などと声を掛けられ、注意を逸(そ)らされた隙(すき)に、後ろから首を絞(し)められて引き倒され、手足を縛られ、髪を摑(つか)まれて猿轡(さるぐつわ)をはめられた上に麻袋に詰められる。これは、昭和五三（一九七八）年八月に実際に起きた高岡アベック拉致未遂事件の被害者の証言を参考にしている。シミュレーションとはいえ、私はポケットの中まで全身砂まみれになり、口の中には血の味がした。

ある日突然、自分が、もしくは自分の大切な人が、このような目に遭わされたら、どうだろうか？　しかも、拉致被害者にとってそれは、そこから始まる長い長い悪夢のようなトンネルのほんの入り口でしかないのだ。自分の妻や恋人、兄弟姉妹、子供、孫などがこんな目に遭わされたとしたら、特に男性であれば、自分の身に危険が及んだとしても助けに行きたいと思うのが、普通の感覚ではないだろうか。

日本は、アメリカのように国民が銃を持つわけではなく、安全保障を国家機関である警察や自衛隊に委ねている。であれば、当然ながら国が国民を守るべきであろう。外国の国家機関による拉致となれば、もはや警察の手に負える案件ではない。当初は外交交渉であろうが、それで取り返せないとなったとき、自衛隊による被害者救出を考えるのが至極当り前のはずだが、なぜかそのようにならない。

拉致問題に関わるほどに、私の中に湧き上がってくる思いがある。

「日本に男はいないのか」。

ある講演会で、そんな思いを正直に吐露して顰蹙を買ってしまったことがあった。私だって、個々の日本人を見れば、もちろん男性が存在しているのはわかっている。ただ、国家としての日本を直視した場合、あたかも「男性不在の国」であるかのように思えてならないのだ。安倍前首相は言った。「日本には憲法の制約があって、自衛隊による拉致被害者救出はできない」「いざとなったら、米国に頼むしかない」。なんと恥ずかしい国に成り下がっているのであろうか。大東亜戦争までの先人たちの戦いぶりを知るほどに、戦後日本の歯がゆさに身悶えするばかりだ。

予備役ブルーリボンの会で活動を共にしている自衛隊の特殊部隊OBは言う。「対米協力と同じくらいの熱意を持って、自衛隊による拉致被害者救出を可能とする法的根拠を示せば、自衛隊はその準備に鋭意取り組むだろう」。にもかかわらず自国民を守ることをいつまでも米国頼みにしていては、独立した国家として情けないではないか。現行法で自衛隊を使えないというなら、法整備することこそ政府や国会議員の仕事であろう。議員たちのブルーリボンバッジが、まやかしでないところを見せてもらいたいものである。

（3）ラジオは国境を越えて――北朝鮮向け短波放送「しおかぜ」

政府による認定はされていないものの北朝鮮による拉致の可能性がある失踪者について調査する民間組織「特定失踪者問題調査会」（以下、「調査会」と略す）は、独自に北朝鮮向けラジオ放送「しおかぜ」を通じて、毎日二時間半、日本からの呼びかけを行っている。

調査会代表の荒木和博さんとは、平成一五（二〇〇三）年、神奈川県横須賀市にある陸上自衛隊の武山（たけやま）駐屯地で出会った。共に公募の予備自衛官を育てる予備自衛官補制度の訓練中に、私の同期である一期生の板橋区議会議員・高沢一基（かずもと）さんに紹介されたのだ。当時はまだ予備役ブルーリボンの会は発足していなかったが、調査会はすでに活動を始めており、「しおかぜ」でアナウンスを担当してくれないかと打診された。「しおかぜ」は日本語・朝鮮語・中国語・英語の四か国語で失踪者のお名前の読み上げや北朝鮮関連のニュースなどを伝える放送が既に始まっていたが、ノイズの多い短波放送にあって女性の声のほうが通るからとのことであった。

二つ返事でお引き受けしたのは言うまでもない。役者として、発声や活舌（かつぜつ）の訓練をしてきたことが、こんな形で役立つとしたらこんなにうれしいことはない。以来、飯田橋の調査会事務所に収録のために定期的に通うようになった。古びたビルの一室にある調査会事務所には、元自衛官のつくった電話ボックスほどの小さなスタジオが備えられていた。その中で、ディレクターの村尾建兒さん（現・調査会幹事長）のキュー出し（合図）に合わせて、収録を行っていく。主として私が担当したのは、失踪者のお名前の読み上げやご家族のお手紙の代読だ。お名前を読み上げる際には、失踪された年、地名なども併せてお伝えする。

膨大な数の読み上げを行うにつれ、拉致と言えば連想する「日本海側」だけでなく、まさに全国の津々浦々で事件が起きていることを実感した。ご家族のお手紙は、基本的にはご本人が読み上げるのだが、さまざまな事情でそれができないときに私が代読した。ある日忽然と消えた家族への万感の思いが込められた文面は、感情移入しすぎてしまうと読み続けることが困難になる。感情を抑え、正確に代読することに努めた。

私が直接モニターしているわけではないが、村尾ディレクターによれば、「しおかぜ」には北朝鮮からの妨害電波が必ず追ってくるという。録音したものをしばしば聞かせてもらうが、それはそれは耳障りな音だ。中には「ピコン、ピコン」と、昭和の時代に流行ったインベーダーゲームのような音の妨害電波もある。電力事情が逼迫している北朝鮮で、わざわざこれだけ丁寧に妨害をかけてくるということは、「しおかぜ」が北朝鮮当局にとって拉致被害者や人民に聞かせたくない「不都合な真実」を伝えていることの証でもある。

いまだに「コロナ感染者はゼロ」と言い張っているような北朝鮮当局にとって、国外からの情報の注入は迷惑千万に違いない。だからこそ必死で妨害するのだろうが、こちらもそれに負けてはいられない。猫の目のように周波数を変える「猫の目作戦」で対応している。そんなに周波数を変えてちゃんと探し当てられるのかと心配されるかもしれないが、日本でもかつてはそうだったように、周波数のチューニングを少しずつ調整しながら音の鳴っているところで手を止めて聞くスタイルが北朝鮮では今でも一般的だそうで、特に問題ないという。できることなら、出力の強い中波での放送も並行して行いたいところだが、カンパで成り立つ資金面がネックになってなかなか思うように行っていないのが実情だ。

当局が聞かせたくないものを聞くのは、北朝鮮で暮らす人民や拉致被害者にとって命がけの行為だ。決して見つからないように、夜、布団をかぶって音が漏れないようにして聞くのだという。ある脱北者は、ラジオから聞こえてくる情報のことをこう表現している。

「暗闇の中に差す、一条の光だった」。

世界を見渡しても、このように人の往来ができない壁をなんなく越えるラジオの音声は、壁の向こうにいる人を励まし続けてきた。例えば、平成二（一九九〇）年の湾岸戦争で人質となった「アラビア石油」クウェート事務所技術調整役の長谷川捷一（しょういち）氏によれば、BBCやボイス・オブ・アメリカは、ラジオで一時間ごとに人質向けに「あなた方が一人残らず解放されるまで、私たちは頑張ります。皆さんも頑張ってください」というメッセージを流していた。BBCは自国民だけでなく、フィリピン人など他国の人まで激励していたという。現地の日本人向けラジオ、ラジオジャパンでは一切そのようなものはなく、帰国後に文句を言っても「全世界に日本人がいるからあなたたちだけのために放送はできない」とはっきり言われたそうだ（『日本、遥かなり』門田隆将（かどたりゅうしょう）著より）。

こうした放送は、本来民間というよりは、国営で行うべきものだろう。調査会が平成一七（二〇〇五）年から放送を開始していた「しおかぜ」に遅れること二年、日本政府も北朝鮮向けラジオ放送「ふるさとの風」を始めた。日本からのチャンネルが複数あるのは、よいことだ。その「ふるさとの風」と「しおかぜ」が一緒になって、数年前から年に数回、共同公開収録を行っている。東京をはじめ地方都市で行う公開収録では、シンガーのｓａｙａさん、宇佐美由美子さん、山口采希（あやき）さん、ＹＡＭＡＴＯさんらが拉致被害者救出への思いを歌に込め、懐かしい唱歌やオリジナル曲などを歌ってくれている。最後は、その会場ごとに地元の出演者や会場のみなさんとともに声を合わせてラジオのジングル（コーナーの切り替わりに挿入される短いフレーズや音楽）「私たちは、拉致被害者の皆さんを必ず救出します！」を収録し、「ふるさと」を合唱する。

最近になって、チームしおかぜのメンバーであるサネヨシさんの作詞作曲、フミエイツさんの歌で「しおかぜに乗せて」というオリジナルソングが作られた。一番は被害者本人、二番は日本で待ちわびる家族、三番は救出を願う国民の目線で書かれたその曲を聴いて、たまげた。

二番と三番の間の間奏に実際の「しおかぜ」で喋(しゃべ)っている、荒木さんと私の声が交互に出てきたのだ。

「ＪＳＲ。こちらは、しおかぜです」「東京から北朝鮮におられる拉致被害者のみなさん」「さまざまな事情で北朝鮮に渡って戻れなくなったみなさんに」「放送を通じて呼びかけを行っています」。

短波放送のノイズと相まって、北朝鮮で聴いている人にはこのように聞こえているのかという臨場感が半端でなく、自分の声が使われているのにいうのもなんだが、衝撃的であった。被害者やご家族の気持ちに寄り添うためにも、ぜひ多くの人に聴いてもらいたいと思う（動画　https://www.youtube.com/watch?v=8TpggsbA2WE）。

しおかぜに乗せて

1

モノラルラジオ　耳に押し当て　息を潜めた
明かりを落とし　頭からかぶる　毛布の中で
途切れ途切れ聞こえる　声や音楽は　懐かしい故郷の人々
絶望の毎日に　このラジオだけが　生きていく希望だった

必ず帰るよ
しおかぜよ　伝えてよ　私はここで　生きている事を
しおかぜよ　伝えてよ　心までは奪えやしない事を
必ず帰るよ

2

海岸沿いを　毎日のように　探し続けた
名前呼んだの　ふとあなたが　現れるような気がして
悲しみだけの涙は　もう流さない　そう誓ったあの日から
再会した時には　喜びの　涙流すのよ

必ず見つけるよ
しおかぜよ　伝えてよ　故郷で待つ　家族の事を
しおかぜよ　伝えてよ　心までは奪えやしない事を
必ず見つけるよ

3

しおかぜラジオ　決してやめない　今日も呼びかけ続ける
ラジオで人は救えないと　言う人もいたけれど
どんなに困難でも　諦めない　届いていると信じて
心と心を通わす　声と音楽が　僕達の希望だった

必ず助けるよ
しおかぜよ　伝えてよ　諦めないで　待っていてくれと
しおかぜよ　伝えてよ　心までは奪えやしない事を
必ず助けるよ

しおかぜに　乗せて　祖国へ　祖国へ
しおかぜに　乗せて　祖国へ　祖国へ

被害者のみなさんが帰国されるまで、闇を照らす一条の光になれるようにと願いを乗せて、今日もしおかぜは海を越えていく。

(4)「鳥になって飛んでいきたい」――イムジン河でのご家族の思い

「鳥になれたらいいのに」。あるご家族の言葉が耳から離れない。
平成三〇(二〇一八)年一一月一七日から三日間、北朝鮮による拉致の可能性を排除できない失踪者の家族会と特定失踪者問題調査会による韓国研修に同行した。

韓国の仁川空港に集合したのは、八名の特定失踪者ご家族と調査会の荒木和博代表ほか関係者を含めた約一五名。初日は、国立六・二五戦争拉北者記念館という朝鮮戦争時に北朝鮮に拉致された韓国人に関する国立の施設を訪れ、そこで「六・二五拉北人士家族協議会」の李美一理事長と懇談した。

韓国で朝鮮戦争のことを「六・二五動乱」というのは、一九五〇年六月二五日に、金日成率いる北朝鮮が三八度線を越えて韓国に攻め入ってきたことによる。韓国では兵隊要員として拉致された人を含め、「拉北者」が九万人以上いることにまず驚いた。ついで、拉致に特化した国立の施設があること、しかも建物も立派で展示内容も大変充実していることに驚かされたが、初期のころから活動してきた李美一さんらの熱意によって建設されたのだという。韓国でも当初、政府は拉北者の名簿などないと言い張っていたのを、あると突き止め、二〇〇一年にデモを行ったことからスタートしたそうだ。当時の大統領は、日本で自身も拉致された経験を持つ金大中氏だった。小柄な女性ながらエネルギーを秘めた李理事長のお話を聞くほどに、こうした方々との国境を越えた連携や情報交換は大変意義深いと感じた。

二日目の一八日、ソウル市内からマイクロバスで約一時間、ソウルの真ん中を流れる漢江と北朝鮮と韓国の間を流れるイムジン河の合流地点にある烏頭山統一展望台に向かった。望遠鏡を覗くと、水蒸気でうっすら霞む川向こうの田んぼの上の斜面に、金日成史蹟館、小学校、住宅群などが見える。目が慣れると、徒歩や自転車で移動する人影も見えてくる。北朝鮮の「宣伝村」と言われていることは承知しつつも、「人がいっぱいこっちに向かってくる！」とご家族の声が弾み、反射的に、みな笑顔で手を振っているのは、肉親の姿と重ね合わせているのだろうか。

展望台の望遠鏡の脇で、それぞれが肉親に呼びかける形で、「しおかぜ」の収録を行った。どのご家族も、これまでになく肉親に近付けたと深い感慨をお持ちのようだった。両岸の距離は、約二キロメートル。狭いところでは、わずか四六〇メートル。しかも、その気になれば渡れそうなほど浅いのだ。にもかかわらず、目に見えない堅固な壁に阻まれて人の往来は叶わない。

その河の上を、V字に編隊を組んだ鳥の群れが飛んでいった。冒頭の言葉を発したのは、それを目にしたご家族・中村クニさんだ。中村クニさんは、平成一〇（一九九八）年四月六日、新潟県長岡市の自宅から一八歳で失踪した中村三奈子さんのお母さんだ。三奈子さんは失踪の三日前にパスポートを申請しており、失踪後、クニさんが大韓航空に問い合わせると、四月七日午前九時、三奈子さんがソウルへ出国したという記録が残っていた。搭乗券を販売した旅行会社によると、中村三奈子を名乗るハスキーな声の中年とおぼしき女性から搭乗券購入の電話があったという。その際、「旅行は慣れているので新潟空港で出発当日搭乗券を受け取る。帰りの便やホテルは必要ない」と言われたため、出発当日の朝、空港で派手なブラウスを着た女性に搭乗券を渡したという。こうした経緯から、中村クニさんは今回の旅の一行の帰国後も、ひとり韓国に残り、娘の行方を捜していた。

「鳥になりたい」と語ったのは、中村クニさんばかりではなかった。昭和四八（一九七三）年七月に千葉県で失踪した古川了子さんの姉、竹下珠路さん（現・特定失踪者家族会事務局長）も「この川を鳥のように魚のように渡っていけるものなら渡って行って、あなたたちと一緒に日本に帰りたい」と、思いをラジオに乗せた。

秋田美和さん（昭和六〇年一二月、兵庫県で失踪）の姉、吉見美保さんは、「二キロであなたのいる北朝鮮に入ることができる。これから寒くなるのにどうしているかと考えてしまう」と妹の身を案じ、園田一さん・トシ子さん（昭和四六年一二月、鹿児島～宮崎間で失踪）の娘、前山利恵子さんは、「お父さん、お母さん、川の向こうにいるのではというこ

烏頭山統一展望台から北朝鮮を臨む。特定失踪者家族会竹下珠路さん（左）、吉見美保さん（右）と。

とで、必ずや私のメッセージが聞こえてますようにと思って、ここに立っています。会いたくて会いたくて仕方ありません」と両親への思いを切々と語った。

中村クニさんは、「三奈子の近くに来ているんだよ。二〇年という長い月日が経ったけれど、三奈子が大学行くために作った布団もそのままになってます。早く帰ってきて布団の中でゆっくり休めるように」と思いを吐露し、佐々木正和さん（昭和六二年一二月、埼玉県で失踪）の姉、佐々木美智子さんは「正和、小さい船ですぐあちらに行けそうなんですが、行けたらいいねえ」と淡々と、しかし北朝鮮を見据えて語り、齋藤正治さん（昭和三六年一〇月、神奈川県で失踪）の弟、齋藤良司さんは「兄貴、元気でいるか？　弟の良司だ」と大きな声で呼びかけ、田中正道さん（平成五年六月千葉県で失踪）の妹、村岡育代さんは「兄さん、育代です。元気にしていますか？　いまだ助けることができず、ごめんなさい。一目でいいから会いたい。兄さん、会いたいねー」と涙声で語った。

藤田進さん（昭和五一年二月、埼玉県で失踪）の弟、藤田隆司さん（家族会副会長）は「アニキー、初めて北朝鮮のすぐそばに来てます。まもなく日本に戻れると思います。元気で。まもなく会えます」と両手を口に添え、北朝鮮に向かって呼びかけた。

いずれのご家族も、食い入るように望遠レンズのついたカメラ、もしくは望遠鏡を覗き込んでいた後ろ姿が忘れられない。

その夜には、山口県に上陸経験があり、昭和五八年に釜山（プサン）で拘束された元工作員Ｉ・Ｓ氏らと懇談した。

転向し、現在は韓国の政府系機関に勤めるＩ・Ｓ氏は、一九八三年一二月、工作母船から半潜水艇で釜山の海水浴場、多大浦（タデポ）海岸に上陸、潜入しようとしたところを拘束された。「多大浦事件」と呼ばれるこの事件では、半潜水艇に乗っていた六人中二人が上陸。落ち合うことになっていた人間が先に拘束され情報を漏らしていたことから、韓国軍が待ち構えていた。「ラングーン事件（北朝鮮工作員による全斗煥（チョンドファン）大統領爆殺未遂事件）の反省から生け捕りの司令が出ていたので、韓国の特殊部隊は丸腰ながら五人がかりで飛び掛かってきました。自分は腰につけていた拳銃を使う暇もありませんでした。自殺予防のため、すぐ口にプラスチックの猿轡をはめられたお陰で、今もこうして命があります。半潜水艇は海軍に撃沈され、現場から離脱した四人は戦死しました」という。

同氏は、事件前年の八二年には、日本に入っていた固定スパイの送り出し役として山口県長門市の青海島（おおみ）にゴムボートで上陸。無事任務を遂行して帰国したという。日本の警察についてI・S氏は、「二時間ごとにしか巡回してこないし、来るときにはランプを点滅させて『気付いてください』と言っているようなもの」と、まったく脅威ではなかったことを明らかにした。

日本はどうすべきかと尋ねたら、「自衛隊を大幅に拡充すべき。でないと長い海岸線を守れない」との答えが返ってきた。

近くて遠い北朝鮮を目の当たりにして「胸をかきむしられるようだった」というご家族の痛みは、本来、日本と日本国民の痛みだ。疼(うず)く傷から何を学ぶか。重い問いを突きつけられているのは、他ならぬ私たちなのだ。

(5)九州南西海域不審船事件で交戦、巡視船あまみと北朝鮮工作船

その巡視船の船橋は、銃弾によって穴だらけ、窓ガラスは衝撃で真っ白に変わっていた。

平成一三(二〇〇一)年一二月二二日、九州南西海域不審船事案で北朝鮮の工作船と交戦した巡視船あまみ。この事件では、不審船側は自爆・自沈して一〇名以上とされる乗組員

全員が死亡（推定）、海上保安庁側は三名が負傷。穴だらけの船橋や、見るも無残に損壊した甲板監視テレビを目の当たりにし、これでよく海保に死者が出なかったと思うと同時に、戦後の日本でも、国の尊厳を守るために、こうして命がけで任務に邁進する海上保安官たちがいることを、多くの国民に知ってもらいたいという思いが湧き上がった。

あまみの船体は解体されたが、船橋の前面のみが残され、広島県呉市の海上保安大学校資料館にひっそりと展示されている（次ページ写真参照）。私にその事実を教えてくれたのは、平成二二（二〇一〇）年九月の尖閣漁船衝突事件の折、国が隠していた現場映像をYouTube（ユーチューブ）に投稿した元海上保安官の一色正春さんだ。

交戦し、自爆・沈没した不審船は、当初、東京の「船の科学館」で、その後は、横浜の海上保安資料館に展示されている。訪れた人はまず、見上げるようなその大きさに驚くであろう。もともと工作小船が収納されていた船尾の観音扉は開かれており、中からも船腹を見ることができる。あまみが応戦した際に被弾した弾痕からの浸水を防ごうと、モモヒキらしきボロ布が詰められているのが鮮烈だ。外側の弾痕脇には「巡視船は船体への威嚇射撃を、荒天下でも狙った目標に精密に射撃が可能なＲＦＳ（目標追尾型遠隔操縦機能付）二〇ミリ機関砲を使用して、通常人のいない船尾端及び船首端に向けて行いました」とい

九州南西海域不審船事案で被弾した巡視船あまみの船橋の一部

う説明書きが付されている。格納されていた八二ミリ無反動砲や自動小銃など武器の数々、無線機やヘッドホン、携帯電話などの通信機、潜水フードや水中メガネ、潜水靴、水中スクーターなど水中行動に必要な装備の数々、自爆用スイッチ、漁船に偽装するための集魚灯、腕時計、「とりめし」と書かれた缶詰なども展示され、工作船の実態を生々しく知ることができる。こちらは、有名な観光スポット、赤レンガ倉庫のすぐそばということもあり、訪問者は年間で約二〇万人に上る。

一方、巡視船あまみの船橋はといえば、訪れる人もほとんどいないのが実状だ。私が見学に訪れた平成三〇（二〇一八）年六月は事前予約制（現在も完全予約制）で、見学者がいるときにだけ資料館を開けるようになっており、梅雨時だったことも相まって、そこはかとなくカビくさい館内は完全な貸し切り状態であった。これでは、せっかく海保が示した武威（ぶい）も浮かばれまい。

「あまみ」の船橋も、ぜひ横浜の工作船と並べて展示し、多くの人の目に触れることで平和ボケした日本人を覚醒（かくせい）させてほしいと思う（※2）。この事件を機に、工作船の出没はぴたりと止まったと聞く。さらには翌年、蓮池薫（はすいけかおる）さん・祐木子（ゆきこ）さん夫妻、地村保志さん・富貴恵さん夫妻、そして曽我（そが）ひとみさんという五名の拉致被害者が帰国を果たしている。

五名の帰国には、他の要因も働いているとはいえ、少なくとも武威を示すことの現実的効果を、この事件とその後の五名の帰国は伝えてくれているのではないか。

北の工作船は、これまで多くの被害者を北へと連れ去った。そもそも北朝鮮が悪いのは言を俟(ま)たないが、これだけ長い間、自国民を取り戻せずにいるのは、戦後の日本が「武威」の発揚にあまりにも臆病(おくびょう)になっていることが、その根幹に思えてならない。

他者に依存せず、自国の意思を毅然(きぜん)として体現すること。本気で拉致被害者を救出しようとするなら、それが本来、避けては通れない道のはずなのだ。

（※2）令和三年三月末、念願叶い、横浜の海上保安資料館に巡視船あまみの船橋の三分の一模型が展示された。損壊した甲板監視テレビなどの装備品は、実物が移設、展示されている。拙提言を受け、海上保安庁担当の国土交通大臣政務官として実現に向けて動いてくださった和田政宗参議院議員と関係者のご尽力に、この場を借りて御礼申し上げます。

（6）「敗戦国」は言い訳にならない——他国に助けられてばかりの日本

令和二（二〇二〇）年六月五日、拉致問題の象徴的存在である横田めぐみさんの父、滋さんが亡くなった。忽然と姿を消した愛娘との再会を、一日千秋の思いで待ち続けて四三年。「必ず取り戻す」という夢は、生あるうちには、ついに叶わなかった。

拉致問題を「最優先課題」としながら、五人の拉致被害者が帰国してから二〇年近く、ひとりの帰国も実現できていない政治の責任は重い。一方で、このような情けない国のままであることを許してきたわれわれ国民ひとりひとりもまた、自らの恥として、責を深く自問すべきであろう。

北朝鮮による拉致に限らず、日本は戦後ずっと海外で窮地に陥った邦人の救出を他国に委ね続けてきた。イラン・イラク戦争、湾岸戦争、イエメン内戦、リビア動乱に際して邦人がいかに救出されたかを徹底取材した『日本、遥かなり』の著者・門田隆将氏は、取材を通じ、海外で活動する多くの邦人に、こう教えられたという。「海外で危機に陥った時、外国人は、『心配するな。必ず国が助けに来てくれる』と信じており、一方、日本人は、

『絶対に国は助けてくれない』そう思っている」（同書より）。

こんな日本のままでよいのか。「敗戦国だから仕方ない」という人もいるが、であれば、同じ敗戦国のドイツはどうなのだろう。

ヒトラーに率いられてジェノサイドを行った「ナチスドイツ」という強烈な負のイメージを持つ軍隊への忌避（きひ）感から、確かに戦後ドイツも軍へのアレルギーは、日本に負けず劣らず強烈であった。しかし、第二次世界大戦後、世界を二分した米ソ冷戦が一九八九年に終わり、新たな安全保障を考える時期にあった一九九七年、東ヨーロッパのバルカン半島南西部に位置するアルバニア共和国で暴動が起きた。

実は、それまでドイツは極めて抑制的にしか軍を運用しておらず、具体的にはＮＡＴＯ（北大西洋条約機構）の域内でのみＮＡＴＯの一部として活動するだけであった。しかし、この暴動に際して国を挙げての議論を行い、戦後初めてＮＡＴＯ域外で単独での軍事行動を行うことを決断したのだ。結果として、自国民および他国民一三〇名の救出を実行した。そのうち、ドイツ人は一三名、日本人が一四名。つまり、自国民より多くの日本人が助けられている。ちなみに、このアルバニア暴動は、イタリアを中心とする西欧諸国およびアメリカで約二五〇〇名を救出するという大掛かりなものになったが、日本人はドイツのほかアメリカ軍にも二名助けられている。

こうした軍事行動を行ったことによって、ドイツは安全保障の面においても独立した意志を持って動ける国に生まれ変わり、国際社会で責任ある地位を占められるようになった。ドイツは既に憲法も約六〇回改正している。

このような事実を知ってしまうと、「敗戦国だから」は言い訳にならないことがよくわかる。日本もいい加減言い訳をやめ、真の自立国として再生するために行動を起こさなければならない。このままでは国を守るために命がけで戦ってくださった先人たちにも、これから生まれてくる子や孫の世代にも顔向けができないし、横田滋さんをはじめ肉親との再会を遂げずして天に召された被害者ご家族の魂を慰(なぐさ)めることも決してできないであろう。

(7) 民間人が活躍、日本人救出

このように国が体たらくな一方で、邦人救出には民間人が活躍してきた。

イラン・イラク戦争では、昭和六〇(一九八五)年にイラクのサダム・フセイン大統領が「四八時間以降、イラン領空を通過する航空機はすべて撃墜する」と発表。各国が即座に救援機を飛ばして軍による邦人救出を行う中、日本だけが危険を理由に民間機を救出に向かわせることを断念。自衛隊による救出も、当時の法制の制約および世論の反対が予想されることから断念された。

そんな中、伊藤忠（いとうちゅう）商事のイスタンブール事務所長・森永堯（もりながたかし）氏が、親友であったトルコのオザル首相（当時）に電話し、直接「今、日本にとって頼れる国はトルコしかありません。日本人をトルコ人と平等に扱って救出してください。トルコ人を救出する飛行機のほかに、さらに日本人を救出する飛行機を出して頂きたいのです」と依頼して退避を実現させ、邦人が無事救出された。

本件は、前述の『日本、遥かなり』に詳しい。同じ題材が映画『海難１８９０』でも描かれているが、同作では外務省の存在が事実よりも美化されているという声も聞かれた。

平成二（一九九〇）年の湾岸戦争では、当時のフセイン大統領はクウェートにいた外国人をイラク領内に強制連行し、軍事施設などに「人間の盾（たて）」として監禁した。この行為は、世界各国から非難を浴び、以後、イラク政府は小出しに人質を解放していき、開戦直前には全員が解放された。この間、各国は独自の外交と水面下の交渉で人質の一部を解放に導いていたが、日本政府は昭和五二（一九七七）年のダッカ日航機ハイジャック事件（福田赳夫首相が「一人の生命は地球より重い」として身代金および「超法規的措置」として収監メンバーの釈放要求に応えた）等の反省から打つ手がなくなっていた。

そのような中にあって、先に解放された婦女子が立ち上げた「あやめ会」が救出のために尽力する。国とは無関係にこれに応えたのが、アントニオ猪木参議院議員だ。アメリカの方針に追随する外務省や政府の反対と圧力を押しのけてイラク入りし、バグダッドの日本人会副会長で伊藤忠のバグダッド事務所長・野崎和夫氏の協力を得て粘り強く交渉を続けた。野崎氏は日ごろ通っているスポーツクラブを通じてフセイン大統領の長男、ウダイ・フセイン氏と面識があった。その人脈を活かして、ついに人質が無事解放されるに至ったのだ。

呆れたことに、「全員解放」となったところで、それまで無策を続けていた日本政府が急に「特別機」を出すことを決定した。しかも、人質でも、その家族でもない、アントニオ猪木議員は「特別機に乗せない」と通告してきた。人質解放の立役者を乗せないという外務省の仕打ちに怒った「あやめ会」の夫人たちも「乗らない」と宣言し、さらには人質たちも「乗るのはやめる」と声を上げ始めたところ、外務省は慌てて「猪木さんにも乗って頂きます」と方針転換したというから、開いた口がふさがらない。

このように、国会議員であっても国の意思を体していない議員や民間人の奮闘によって、危機に陥った邦人が助けられてきた事実は、日本国としてのお粗末(そまつ)さをよく物語っている。

(8) 拉致被害者救出に自衛隊の活用を!

◉もし日本が外国から侵略されたら?

『自衛隊・防衛問題に関する世論調査』(平成二七年一月内閣府)をめくっていて、「もし日本が外国から侵略された場合は?」というページではたと手が止まった。「武力によらない抵抗をする(侵略した外国に対して不服従の態度を取り、協力しない)」と答えた人が一九・五%、「一切抵抗しない(侵略した外国の指示に服従し、協力する)」が五・一%と、約四人にひとりが武力抵抗および抵抗そのものを否定しているではないか!

想像力の欠如(けつじょ)もここまで来ると恐ろしい。奴隷(どれい)でもいいというなら、その尊厳(そんげん)のなさに愕然とするが、おそらくは意識下に「武力によらない抵抗であれば」もしくは、「無抵抗なら」「命は保障されるだろう」という子供じみた甘えがあるのではないだろうか。しかし、強制収容、拷問、強姦、虐殺……そうした戦慄すべき事実は、今この瞬間も世界で繰り返されている。中国に脅かされているウイグルを見れば明白だ。「一切抵抗しない」方には、自分や自分の大切な存在の喉元に刃が迫る場面を真摯に想像して頂きたいと切に思う。

ちなみに、「自衛隊に参加して戦う（自衛隊に志願して、自衛官となって戦う）」が六・八%、「何らかの方法で自衛隊を支援する（自衛隊に志願しないものの、あらゆる手段で自衛隊の行う作戦などを支援する）五六・八%、「ゲリラ的な抵抗をする（自衛隊に志願や支援はしないものの、武力を用いた行動をする）」一・九%、「その他」「わからない」が九・九%という内訳になっている。

回答を男女別で見ると、女性は「武力によらない抵抗をする」が二三・八%、「一切抵抗しない」が六・六%と、男性のそれぞれ一四・九%、三・三%のおおよそ倍であった。これで思い出したのが、自衛官募集の担当者が「安保法制論議の影響で、志願者が激減している」と言っていた言葉だ。母親たちが「危ないから」と止めるらしい。

安保法制改定時の国会での「自衛官の危険」が増す云々の議論も、虚しさを禁じ得なかった。本章の冒頭にも書いたように、そもそも「事に臨んでは危険を顧みず国民の負託に応える」と宣誓しているのが自衛官だ。だからこそ尊いのだ。より重く論じられるべきは、むしろ国民の安全であるはずだ。

　多くの国民が長く「憲法に守られた平和」という幻想に陥ってきた中、その欺瞞（ぎまん）を骨身にしみて感じてきたのが拉致被害者とそのご家族であろう。

　予備役ブルーリボンの会が開催したシンポジウム「拉致被害者救出と自衛隊」で、ある時ご家族が「自衛隊が動くことで隊員さんの命がかかると思うと申し訳ない。その一方で、一国民としては『平和』な日本で拉致がまかり通るのは何故（なぜ）なんだろうと感じます」と思いを吐露された。これに対し荒谷卓（あらやたかし）・元陸上自衛隊特殊作戦群長は「一人助けるのに仮に自衛官一〇人が死んだとしても、それは作戦と技量が未熟なだけなので、気にされないように。われわれは、むしろ、助けを必要としている国民がいるのに使ってもらえないことのほうにやるせなさを感じます」と答えた。また、参加者アンケートには、自衛官の妻から「お役に立てるなら、家族は喜んで送り出します」ともあった。前述の無抵抗派や母親らに聞かせたいものだ。

　そうは言っても、現憲法下で、拉致被害者救出に自衛隊を使うなどありえないと考える国民は少なくないだろう。しかし、そうやって思考を停止する前に、考えてみてほしい。

クーデターなどで北朝鮮が騒乱(そうらん)状態に陥った場合、各国政府は自国民救出に動く。その時、日本はみすみすチャンスを逃すのだろうか。邦人救出には「当該国の同意」が必要とされるが、北朝鮮が同意することはありえない。しかしながら、無政府状態になった場合はどうか。現に、フセイン政権崩壊後のイラクでは、国連の承認を得た代表部を「代行政府」と見なし、その同意を得て自衛隊は邦人一〇名の輸送を行っている。北朝鮮でも同様のケースに備えておくべきであろう。

平成二七（二〇一五）年の平和安全法制改定で、自衛隊法に在外邦人等の保護措置が新設され、任務遂行型の武器使用も可能になった。受け入れ国の同意があれば邦人救出も可能になったわけだが、いかに自衛隊が優秀でも情報や事前準備なしに任務遂行はありえない。法律上、自衛隊は外務大臣からの要請があって初めて救出にとりかかることができる。備えるとは具体的に、外務省が被害者の所在情報を収集し、その情報を元に自衛隊が救出に向けて訓練することだ。

◉「最優先課題。全力で取り組む」と言うのなら

そんなことを思っていた平成三〇（二〇一八）年一月一九日、新聞に「日豪、防衛協定で協議　両首脳『極秘』特殊作戦群を視察」と見出しが躍るのを目にして、私はひとり快哉（かいさい）を叫んだ。「自衛隊による拉致被害者救出」が実現するとしたら、任にあたるであろう特殊作戦群の存在と実力を最高指揮官である首相が知らずして、命令を下せるはずがない。そう思い、首相による同群視察をかねてから切望していた。それが実現したのである。

そのように考えるようになったきっかけは、前出の特殊作戦群初代群長・荒谷卓氏から英国の実状を聞いたことによる。イギリスでは、特殊部隊ＳＡＳの訓練を首相自ら人質役になり体感するという。多少の傷を負うことも厭（いと）わず首相自身が部隊の実力と隊員たちの士気を体感することで、命がけの任務を付与する側とされる側の信頼関係も醸成（じょうせい）される。

当時の安倍普三首相がそこまでしたとは考えづらいが、しかし、当日の首相動静によれば、首相は一度豪首相を見送ったあと、再び同群の訓練を視察している。それだけ、熱心に部隊を知ろうとしたのだと受け止めたい。

拉致問題を「最優先課題。全力で取り組む」と言うのであれば、自衛隊による被害者救出を選択肢に入れるべきだ。横田めぐみさんの拉致から今年で四四年。横田滋さんはじめ被害者ご家族の訃報(ふほう)も相次ぐ中、これ以上、どう待てというのだ。法の制約があるというならば、国民を守れない法など変えるべきだ。それを待たずとも超法規的措置という手段もある。「情報がないのに無理だ」という人もいるが、四〇年以上経って「情報がない」ということ自体、本気でないことの証左ではないのか。そもそも明確な目的があればこそ、人も国も真面目に情報を集めるものだ。例えば、パラオに行くと決めたから、ガイドブックやネットで情報を集めるのであって、そうした明確な目的がなければ、目の前に同じ情報があったとしてもガイドブックを手に取ることさえしないだろう。

◉「本気ではない」証

平成三〇(二〇一八)年三月二日、特定失踪諸問題調査会による石川県特別検証に同行、救う会石川の大口英夫事務局長の案内で三市町を回り、五隻(せき)の漂着船を検証した。

砂浜に打ち上げられた木造船は、波が寄せるごとに、かろうじて繋がっている船の横っ腹が開き、また閉じという異様な光景を繰り返していた。石川県金沢市安原(やすはら)海岸に同年一月一〇日に漂着したこの船からは、七遺体が発見されている。

本書を執筆している令和三（二〇二一）年現在は、新型コロナウイルス感染症の影響か、北朝鮮からの漂着船はほとんど来ていないが、当時、日本海側への漂着が相次いでいた。海上保安庁によると、朝鮮半島からの漂着・漂流は、平成二六年六五件、二七年四五件、二八年六六件と推移し、二九年は過去最多の一〇四件となり、内四五件が一二月に集中。「冬季漁獲戦闘」の名の下に、荒れる日本海へ出漁し、命を落とした漁民たちには哀悼(あいとう)の意を捧げたい。

私が直接目にした五隻はいずれも平底の木造船で、もっとも小さなものは、志賀(しか)町西海(さいかい)の岩がちな浜に打ち上げられた長さ約五・六メートルの船。手漕ぎボートを僅(わず)かに大きくした程度で、これで本当に冬の日本海に出たのかと疑念が湧いた。あるいは、工作母船から漕ぎ出されたものではないのか。もっとも大きかったのは加賀市美崎町の波消しブロックに漂着した長さ約一八メートルの船で、甲板以下はほぼ完全な姿、船倉には救命胴衣も残存していた。ご遺体はなかったというが、気付かれないうちに乗員が上陸した疑いも拭(ぬぐ)い去れない。事実、秋田県由利本荘(ゆりほんじょう)市では前年の秋、乗員八名のうちのふたりが付近の住宅のインターホンを鳴らしたことにより漂着が発覚している。

海保によると、平成二九（二〇一七）年の漂着・漂流船のうち遺体確認は三五人、生存者は四二人であった。だが、これ以外に生存者がいなかったと断言できるだろうか。工作員であれば助けを求めることもあるまい。地域住民たちは不安を抱きながら、その危機感が全国的に共有されないことにさらなる不安を募らせていた。また、生存者は貴重な情報源だ。漂着した人間も、洋上で保護した人間も、摩擦を恐れて早期に帰国させるのではなく、腰を据えて拉致被害者情報はじめ北の生情報を収集すべきであったと強く思う。

また、日本には脱北者が二〇〇〜二五〇〇人はいると言われている。果たして日本国は、彼らからも真摯に情報を収集してきたのだろうか。していないとすれば、それこそ「本気ではない」証ではないのか。こうしたところからも、拉致被害者救出への国の本気度を疑わざるを得ないのだ。

◉拉致被害者救出への具体的方策とは

予備役ブルーリボンの会では「拉致被害者救出への自衛隊の活用を求める元自衛隊員・

予備自衛官等の署名」を集め、令和元（二〇一九）年六月五日、産経新聞紙上に意見広告として発表した。自衛隊の活用が考えられるのは、緊張が高まったときばかりではない。情報収集から保護、輸送まで、できることはさまざまある。例えば、日朝交渉の場に制服を着た自衛官が同席するだけでも、北への圧力になる。そもそも何のために存在する自衛隊か。武威の活用を真摯に考えるべきであろう。

「自衛隊への任務付与」に関連し、令和元年一二月に特定失踪者家族会から当時の菅義偉官房長官兼拉致問題担当大臣に提出した要請文書に対し、令和二年三月に届いた回答には、「政府全体として、不断の検討を続けて参る所存」とあった。「不断の検討」とは、具体的に何なのか。最大の当事者である防衛省に対し、特定失踪者問題調査会の荒木和博代表が三月末には情報公開請求を行った。

通常の回答期限である約一か月後に届いたのは、「資料が膨大になるため最終回答には来春までお時間を頂きたい」という連絡だった。そこに真摯に答えようという一定の誠意は感じられた。翌五月、当座の回答として二枚の紙が送付されてきた。「在外邦人等保護措置」と「邦人救出」に関する一般論に五年も前の国会答弁をつけたもので、残念ながら、「だから、何？」と聞きたくなるような代物であった。

そして、令和三年四月、厚さ八センチメートルにもなる最終回答が送られてきた。これだけの資料を発掘し、必要なところを墨塗りにするなどして整え、送付した防衛省職員の労力には頭が下がる思いがする。しかし、これまた残念ながら、その内容はといえば、国会対応、議員対応がほとんどで、自主的、主体的に拉致被害者を救出できる方策を検討した資料は一つもなかった。本当に「不断の検討」を行っているなら、少なくとも政府から各省庁に対してそのような指示を出したという文書、及びそれに対する検討結果の報告文書が存在して然るべきであろう。これではむしろ「政府として不断の検討をしていないこと」を証明した、つまり「回答は虚偽でした」と証言したようなものだ。

例えば、「憲法と国際法の制約があるから限界がある」と判で押したように逃げ口上が述べられている。一方で、米国への拉致被害者情報提供と協力要請を進めると明記してあるにもかかわらず、米国との協議結果については一切触れられていない。

しかしながら、「在外邦人等の保護措置」の中の「在外邦人が誘拐(ゆうかい)された場合」などを準用すれば、拉致被害者救出にも十分に応用できるのではないかと思われた。

自衛隊を活かすも活かさないも、結局、政治の判断、つまり総理大臣の肚決め次第なのではないか。

◉〝日本へ、帰ろう〟

令和三（二〇二一）年二月一九日、映画『めぐみへの誓い』（野伏翔監督）のロードショーが始まった。映画化に先立ち、拉致問題対策本部の主催で舞台版『めぐみへの誓い』が全国各地で上演されてきたが、その間、数年司会者として同行した。役者たちが体を張って伝える拉致の現実は観客の心を揺さぶり、中には北朝鮮当局による仕打ちの酷さに吐き気を催して席を立つ人までいた。演劇の持つ力をまざまざと知り、もっともっと多くの日本人に見てもらいたいと思った。拉致被害者奪還に向けて、世論を動かすために。

映画では、被害者の北朝鮮での生活の様子がよりリアルになったほか、舞台版にはなかった特定失踪者や「しおかぜ」についても描かれ、よりメッセージ性が強くなった。同作では、舞台版でも映画でも、めぐみさんが夢の中で両親との再会を果たす。両脇を抱えられながら〝日本へ、帰ろう〟という台詞を聞くたびに、私の脳内では両親の姿が自衛官に置き変わっていた。

予告編の最後の言葉が胸に刺さった。

「この物語の結末をつくるのは、私たち一人ひとりです」

私の夢想が現実になったとき、日本は真の意味での独立国として再生を果たすであろう。

第三章　先人たちの慰霊・顕彰、そして思いの継承

(1) 戦後史観の原点、東京裁判の行われた市ヶ谷記念館に勤務して

市ヶ谷記念館をご存じだろうか？

平成一二（二〇〇〇）年に防衛庁（当時）が六本木から市谷に移転するに当たり、市ヶ谷台の中央にあった一号館を取り壊すことになった。かつて陸軍予科士官学校、大本営が置かれ、戦後、米軍が接収、極東国際軍事裁判の法廷となり、昭和三五（一九六〇）年から自衛隊が使用してきた威風堂々（いふうどうどう）の建造物である。

この歴史的建造物をなんとか残そうと保存運動が起こった。中心的存在のひとりであった元参議院議員の堀江正夫氏によると、ひとつには東京裁判の実態を知らないと日本人がいつまでも誤った認識に支配されてしまうことへの危機感、もうひとつには明治以来の陸軍の歴史を残したいという思いが運動へと駆りたてたという。

結果、東京裁判で法廷となった「大講堂」、三島事件の現場となった旧「陸軍大臣室」

（事件当時は東部方面総監室）、天皇陛下のご休憩所だった旧「便殿（びんでん）の間」という象徴的な部屋と「車寄せ」が、可能な限り元の部材を用いて市ヶ谷記念館として移設・復元された。

防衛省では、平日の午前・午後のそれぞれ事前申し込み制で、この記念館をはじめメモリアルゾーンや省内を案内する市ヶ谷台ツアーを実施している。

平成一三（二〇〇一）年から数年間、私はそのガイド役を務めていたが、ツアーの目玉はなんといってもこの市ヶ谷記念館だった。ステージ奥の玉座に座られた天皇陛下が二階席から見下ろされている印象を受けないようにと工夫された設計、足になじむように配慮された陛下専用の階段、三島事件の際についた刀傷など、まさに歴史を体感できるし、映像や展示品とも相まって東京裁判の様子も生々しく伝えてくれる。人気のない静まり返った館内にいると先人たちの霊魂がそこにいるように感じられることもあった。

しかし残念なことに、市谷に勤める自衛隊員でも訪れたことのない人が多いのだ。ましてや、平日の昼間のみの公開で一般社会人には参加しづらい。日本の歴史に他に類を見ないほど決定的な影響を及ぼした裁判の舞台である。その重さに比して、存在があまりに奥ゆかしすぎないだろうか。

それはまた、東京裁判の実態を直視しようとしないことの表れにも思えてならないのだ。

市ヶ谷記念館

記念館を防衛省の管轄から出し、土日祝日も公開して、多くの国民が訪れられるようにしたい、そんな気持ちが年々私の中で膨らんできている。

(2)「サイパンを忘れないで、来てください」——古老の思いに触れて

「助けてください」「Help us」。日本語と英語でなんども繰り返された言葉が、耳から離れない。

平成二七(二〇一五)年一一月末、北マリアナ諸島・米自治領のサイパン・テニアンを訪れた。日系航空会社・ホテルの撤退で日本人が激減し、同地域との絆が細くなったことに危機感を抱いた雑誌『正論』元編集長で現在はフリージャーナリストとして活躍する上島嘉郎さんの発案による「上島嘉郎&葛城奈海と行く、サイパン・テニアン戦跡慰霊の旅」だった。総勢約二〇名。デルタ航空の直行便でサイパンへと飛んだ。

肌を焼く日射しの下、島のあちこちでおびただしい艦砲射撃の跡や鉄さびた戦車を見、先人たちが最期を遂げたサンロケ地獄谷司令部跡やドンニー野戦病院跡などの洞窟、多くの日本人が身を投げたスーサイドクリフ、バンザイクリフなどを巡った。エメラルドグリ

ーンに輝く海と、かつてそこで起きた出来事とのギャップが切なかった。

このとき御年八四歳でありながら背筋がしゃんと伸び、健康的かつ知的な印象を受ける元観光局会長、今も経済界の重鎮として活躍するデヴィッド・サブラン氏に話を聞いた。日本の委任統治領だった戦前戦中と公学校で五年間学んだ同氏は、毎朝、北に向かって最敬礼した後、三〇分間の体操をしていたことが健康のもととなり、米領になった戦後もソロバンが身を助けてくれたという。

「マイ・メンタリティ・イズ・ジャパン」。そう語るサブラン氏は、戦後六〇年だった平成一七（二〇〇五）年、天皇皇后両陛下のサイパン訪問を阻止しようとデモを行った韓国コミュニティーに、「やめろ。さもなければ、お前たちが出て行け！」と決然たる態度を示した方でもある。そのときのことを、「観光局を取り仕切る立場だった自分が、日本への好意を持ち続けていること、天皇陛下の訪問を歓迎する意志を伝えなければならないと思った」と述懐した。こうした尽力に支えられ、両陛下は慰霊の旅を無事にまっとうされた。

日本人が激減するのと入れ替わるように急増した中国人はマナーが悪く、地元の人は内心嫌がっているが、政治家らと結び付いているため口に出せないという。

「助けてください」とは、日本人にまたサイパンに来てくださいという意味だ。その切なる願いは、単に経済的なことではなく、「精神的に忘れないで」「絆を切らないで」という、兄を慕う弟の悲痛な叫びに思えた。かつて結ばれた絆は、先人たちの生き様の証でもある。それを僅か七〇年で忘れるとしたら、危ないのは、むしろ日本の方ではないだろうか。

この旅を通じ、「先人たちが結んだ絆を結びなおしたい」という思いが私の心に芽生えた。そのためには、日本人にサイパン・テニアンを訪れてほしい。なにも戦跡巡りが主目的でなくてもよいのだ。豊かな自然もぜひ楽しんでほしい。エメラルドグリーンの珊瑚礁（さんごしょう）に囲まれ、世界有数の美しさを誇る海でのダイビングやシュノーケリング、バードウォッチングなどきっかけはなんでもいい。ただ、それだけで終わるのではなく、先人たちの息遣いもどこかで感じてもらえたらと思う。

私自身、現地を歩いたお陰で、書籍を読んだだけでは感じることが難しかった、肌を焼く日射し、湿気を帯びた熱気、そして何より現地の人々の日本に対する郷愁や熱い思いを、文字通り肌で感じた。短い滞在でわかった気になってはいけないのも事実だが、先人たちの万分の一、億分の一でも、活字を追っていただけでは感じられなかったものを体感できたとしたら、旅の意味はあったと思うのだ。

令和元（二〇一九）年にスカイマークによる直行便が復活して喜んだのも束の間、翌年には新型コロナウイルスの影響で再び運休を余儀なくされてしまった。コロナの終息と直行便の再開が待たれるところだ。

（3）ペリリュー島で実感、戦後日本の平和を守った先人たちの戦いぶり

「あれがペリリューだよ」。指された島影に、目を疑った。「中川州男大佐率いる日本軍が七一日の激戦に耐えた島」として想像していたのとは比較にならないほど小さく扁平な島だったのだ。聞けば、広さは約一三平方キロメートル。米軍が「スリーデイズ、メイビー・ツー」と豪語し、三日で攻略できると考えたのも無理はないと深く頷いてしまった。

中川大佐らが自決した一一月二四日を前に、平成二九（二〇一七）年一一月上旬、パラオ共和国ペリリュー島を訪ねた。第一次世界大戦後、国際連盟によって日本の委任統治領となったパラオ。今でもパラオ語の二五％は日本語と言われるほどの親日国だ。

隆起珊瑚礁の洞窟をツルハシで縦横に掘り進めて拡張した「千人洞窟」、日本軍の武器弾薬庫を米軍占領後野戦病院として使っていた「戦争博物館」、戦後七〇年だった平成二

七（二〇一五）年に天皇皇后両陛下が訪れた「西太平洋戦没者の碑」、激しい戦闘が行われた「大山（おおやま）」などを巡った。幸いなことに、海況が穏やかでないと渡れないアンガウル島にも訪れることが叶い、「不死身の分隊長」と呼ばれ、戦後、東京の渋谷に「大盛堂書店」を開いた舩坂弘（ふなさかひろし）氏の戦いを忍ぶこともできた。

　昭和一九（一九四四）年九月、パラオへの攻撃が始まった。「一緒に戦わせてください」と申し出た島民を戦闘に巻き込まないため、「貴様らごときと一緒に戦えるか！」と中川大佐が心を鬼にして冷たい言葉を吐き、全島民を疎開させた逸話は有名だ。兵力約四倍、火力数百倍と、戦力は米軍が圧倒していた。これに対し、日本軍は隆起珊瑚礁の洞窟を要塞化。持久戦に持ち込んだ。

「中川大佐終焉（しゅうえん）の地」の洞窟にひとり入り、ライトを消して、しばし瞑目（めいもく）した。先人たちは、生きてこの島から出られないことを知っていたはずだ。知った上で、自らの体を囮（おとり）にして一日でも長く敵を引きつけ続けることが祖国の守りに繋がると信じ、最期まで命を使い切った。見事な生き様、死に様であったと思う。そんな敢闘ぶりは、天皇陛下をはじめとする日本国民の魂を揺さぶったのであろう。天皇陛下は守備隊に、一一回もの御嘉賞（ごかしょう）を贈った。

一方、米軍は、苛烈(かれつ)を極める状況で、食糧も弾薬も尽きながら、いつまでも戦い続ける日本軍に驚愕(きょうがく)したに違いない。そして、心の底から思ったはずだ。こんな奴(やつ)らとは二度と戦いたくない、と。それはまた特攻で散華(さんげ)された方々が思わしめたことと同じであろう。

ペリリュー島の小ささを目の当たりにして、確信したことがある。戦後日本の平和を守ってきたのは、憲法九条だと言う人がいるが、もちろん、それは違う。いわゆる保守の人でも多くが「日米同盟が守ってくれた」という。しかし、それも違うのではないか。戦後日本の平和を守ったのは、九条でも日米同盟でもなく、「こんな人間業とは思えない戦い方をする日本人とは、金輪際(こんりんざい)戦いたくない」と敵兵をして肚の底から思わしめた、英霊たちの精神・戦いぶりではなかったか。

ペリリュー島の最後に、ペリリュー神社に参拝した。昭和九（一九三四）年、現地の日本人によって天照大神(あまてらすおおみかみ)を祭神として建立された神社が、昭和五七（一九八二）年、青年神職南洋群島慰霊巡拝団によって再建され、その際にペリリュー島で戦死した一万余名の英霊が併祀(へいし)されている。島民や日本から慰霊に訪れた方々によって清掃されているそうで、手入れの行き届いた美しい神社だった。その一角にある碑に、太平洋艦隊司令長官ニミッツ提督の言葉が刻まれていた。表は英語で、裏は日本語訳が記されていた。

諸国から訪れる旅人たちよ
この島を守るために日本軍人が
いかに勇敢な愛国心をもって戦い
そして玉砕したかを伝えられよ

日本軍の驚異的な力の源を知った米軍は、ペリリューを「天皇の島」と呼んだ。

そのような激戦が繰り広げられたとは思えないほど静かで穏やかな海に、日が落ちて行った。燃え上がるような夕暮れは息をのむほど美しく、「西方浄土」という言葉を思い起こした。戦いが始まる前には、先人たちもこのような夕陽を目にすることができたのだろうか。

（４）インドネシアの英雄、スディルマン将軍像が促す、日本の「ムルデカ」

　ジリジリと肌を焼く日射しが照りつける平成三〇（二〇一八）年八月一七日、防衛省の西の端、市ヶ谷記念館脇で、インドネシア独立の英雄であるスディルマン将軍の銅像への献花式（藤井厳喜実行委員長）が行われた。前年から防衛省の公式行事となったこの献花式には、所狭しと約一三〇名の参列者が集い、小野寺五典防衛大臣、アリフィン・タスリフ駐日大使も列席していた。

　スディルマン将軍は、日本軍政時代、日本軍の軍事訓練を受けて郷土防衛義勇軍（ＰＥＴＡ）の大団長（大隊長）を務め、独立戦争を戦い、初代国軍司令官となった。三四歳という若さで病没したが、その名は、ジャカルタをはじめインドネシア主要都市の最も賑う通りの名前につけられ、大学名にもなるなど、今なお国民の尊敬を集めている。

　私が初めてスディルマン将軍像について知ったのは、平成二九（二〇一七）年七月にインドネシアを訪れたときのことだった。その旅の主目的は、「緑の募金事業」の評価委員として事業の行われている現地を視察することだったが、せっかくインドネシアを訪問するからにはと希望して、ＰＥＴＡの博物館とカリバタ英雄墓地を訪れた。

ＰＥＴＡの博物館でスディルマン将軍の功績をたどる中で、最近のインドネシアの新聞記事が目に留まった。スディルマン将軍像がインドネシア国防省から日本に送られ、防衛省の敷地内に展示されているというのだ。前述のように、私はかつて防衛省で市ヶ谷台ツアーの案内人をしていたにもかかわらず、そんな話はついぞ知らなかったので、大変驚いた。もちろん、将軍像が送られたときには、既に私は案内人を辞めていたが、その後も、防衛省には取材調整その他で頻繁(ひんぱん)に訪れていたにもかかわらず、まったく知らなかった。

後日明らかになったことによると、なんでも当初は防衛省の東の端にあるメモリアルゾーンに展示されていた。それが、地対空誘導弾ＰＡＣ３の配備によって邪魔になり、一度倉庫に入れられてしまったという。これに対する民間からの要望に尻を叩かれる形で、場所を防衛省の西の端、市ヶ谷記念館の隣に変えて再び日の目を見るようになったとのことであった。

インドネシアでその新聞記事を目にした翌年の平成三〇年から、私はこの献花式に関わるようになり、現在は実行委員会代表を務めている。初めてこの像を目にしたときのインパクトは忘れられない。戦後の日本人を骨抜きにする、自虐史観のもとになった東京裁判

独立記念日にインドネシア国旗色の花輪が献げられたスディルマン将軍像

が行われた大講堂のある記念館を、スディルマン将軍が睨みつけるように立っている、と感じたからだ。

前述のように、市ヶ谷記念館は、事前予約すれば「市ヶ谷台ツアー」の一環として見学できるが、平成三〇年当時、すぐ脇にある将軍像は見学コースに入っていなかった。従って、基本的に一般人が目にすることはできない状況であった。あまりに残念なので、産経新聞の連載コラム『直球&曲球』等に「市ヶ谷台ツアーのコースにスディルマン将軍像を！」と書かせて頂くとともに、当時防衛大臣政務官であった山田宏参議院議員に「なんとかこの像をコースに入れてください」とお願いしたところ、山田政務官をはじめとする関係者のみなさんの尽力のお陰で、今ではツアー参加者にも見て頂くことができるようになった。

ところで、みなさんは映画『ムルデカ17805』（藤由紀夫監督）をご存じだろうか。公開は平成一三（二〇〇一）年。典型的な戦後教育を受けてきた私は、先の大戦で日本軍は「残虐非道なことばかりしてきた」と思い込んでいた。諸外国、特にアジアの人々への申し訳なさでいっぱいなまま社会に出てしまった私に、初めて「日本軍は、こんな良いこともした」と目を啓いてくれたのが、この『ムルデカ17805』だった。ムルデカとは独立、17805は、皇紀二六〇五年八月一七日を表している。二千名もの日本兵が戦後も帰国せず、三五〇年に及ぶオランダ植民地支配からの独立を勝ち取るべくインドネシア人とともに血を流し続けた。そこに敬意を表して、インドネシアは独立の年月日を、日、月、年の順に皇紀で表したのだ。

前述のようにサイパン、パラオなど日本の統治下にあった国々でも、いかに日本人が慕われているかを実感した。日本人は、「八紘為字（はっこういう）」つまり「天の下にひとつの家のような社会を築こう」という建国の理念の下、現地の人と共存共栄を図り、兄弟のような関係を築いてきた。それは、欧米列強の、人を人とも思わないような植民地支配とはまったく対照的であった。日本の戦争が終わっているのに、インドネシアの独立のために命をかけて共に戦い続けることを選び、現地に残った彼らは、まさにその最たる例であろう。

独立戦争を戦った日本兵らは、インドネシア人とともに「カリバタ英雄墓地」に葬（ほうむ）られている。墓地に入るには、必ず全員が慰霊塔に向かって敬礼する。ずらりと並んだ墓石すべての根元には、軍人であったことを示す鉄帽が置かれていた。そして、うれしいことに先人たちへの敬意と親愛の情を表すかのように、日本人の墓もどれも手入れが行き届いていた。私も現地のしきたりにのっとって、両手に余るたくさんの花びらを墓に供えさせて頂いた。かくも国のために戦った方は外国人であっても大切にされているのに、日本ではどうだろう。

日本を骨抜きにするため、価値観を根底から覆す大本となった東京裁判。その法廷の場を睥睨するが如く立つスディルマン将軍像から声が聞こえた気がした。「いつまで東京裁判の呪縛に囚われ続けるのか。日本人よ、日本こそ真の意味でのムルデカ(独立)を！」と。

(5) ロシアの街ごとに燃える「国のために戦った先人」への感謝の灯

平成三〇(二〇一八)年八月上旬に一〇日間ほどロシアを訪問した。私は長年、明治神宮の武道場至誠館で合気道と鹿島の太刀の稽古を続けているが、毎夏、ロシアでは、至誠館に縁のあるロシア各地の道場の指導員・門人らが一堂に会しての国際武道講習会が開催されている。この年は、モスクワから北西に約五〇〇キロメートル、寝台列車で一晩行ったところにある、スタラヤルッサという街に日露の大人・子供合わせて約百名が集結し、約一週間の合宿を行った。

合宿の間は稽古主体の生活となるが、中日（なかび）には稽古はなく、文化研修にあてられる。復路でのモスクワ観光と合わせて、今回、モスクワ、ノブゴロド、スタラヤルッサという三つの都市を訪れた。鮮烈に印象に残ったのは、どの街にも、国のために戦って亡くなった方々を慰霊する碑があり、そこに赤々と火が燃え続けていたこと。三六五日、炎を絶やさないのは、英霊たちを忘れないという意味が込められているという。

この七年前に初めてノブゴロドを訪れた際、講習会主催者が、夜の闇の中で燃える炎を前にして語った。「歳月と共に人の記憶は薄れゆくものです。しかし、国のために戦って亡くなった方のことを忘れてしまったら、生きている意味がありません」。噛みしめるように紡がれたその言葉に、強烈なシンパシーを抱いたことを思い出す。

今回は、メドヴェージ村という一二世紀からの兵士の村にもご案内頂いた。以下は、赤レンガの建築群が緑に映えるその村で聞いた日露交流史だ。

日露戦争時代、この村には捕虜収容所があり、日本人捕虜約三〇〇〇名が収容されていた。所長の方針で、待遇がよく、ロシア人が鳩麦のスープを飲んでいたのに、日本人には米のスープを出したり、ロシアの黒パンは日本人の口に合わないということで、ふつうのパンを出したりしていた。

スタラヤルッサに燃える戦没者慰霊の灯

日本人は態度がよかったので、警備も緩く、村人とも自由に交流できた。一軒のバーにも入れたが、そこで日本人が酔いつぶれたり、酔って喧嘩（けんか）したりしているのをロシア人は見たことがなかった。

収容所内で日本人は木のおもちゃや楽器を作り、それらはコレクションとしてサンクトペテルブルグの博物館に保存されている。当時のロシアにはない自転車に乗ったり、野球をしたりと、日本人の持ち込んだ文化は、ロシア人には目新しかった。

一九〇五年、ポーツマス条約が結ばれ、日本人は帰国。残念ながら、二三名がそれまでに亡くなったが、ロシアの人々は彼らに敬意を表し、花火を上げ、葬式を行い、墓地をつくった。一九〇八年、死者の遺骨が帰国する際には、日露の人々の行列が数キロメートルにわたって続いたという。

旧ソ連やロシアというと、好印象を持つ日本人はあまり多くないように思うが、国境を越え、このような心の交流があったこともぜひ世に知られてほしいと感じた。

お酒が入ると、ロシアの人々は自然発生的によく歌を歌う。彼らが好んで歌っていた歌で、そのメロディの美しさと、歌っているロシア人の心がひとつになっている感じが印象深かった曲がある。聞けば、「国を愛する歌」だという。帰国後に歌詞を送ってもらったところ、タイトルは「馬」。日本でいうところの「ふるさと」のように祖国の美しい自然の情景が歌われ、そこを馬と共に進みながら「ロシアよ、愛している」と国に呼びかける歌であった。

このように、ロシアでもインドネシアでも、「国のために戦って亡くなった方々」への尊崇の念は篤かった。「国を愛すること」「国のために戦って亡くなった方に感謝と畏敬の念を捧げること」が「政治的に偏ったこと」などと見られる奇妙な国は、日本ぐらいのものであろう。しかし、靖国問題ひとつとっても国内だけにいては、その異常さに気付くことは難しい。

この年のロシアには、十数名の中高生・大学生門人も帯同した。感性の柔らかな若いうちに、「世界の常識」に触れることは、その後の人生や「ものの見方」にも大きな影響を与えるはずだ。この経験が彼らに日本を客観的に見る視点を与え、素直な愛国心を育み、各々の国と文化を尊重し合いながら世界の和を実現していく一助になることを祈らずにいられなかった。

(6)『英霊の言乃葉』が伝える無私の心に学ぶ

靖国（やすくに）神社の社頭に掲げられる英霊の遺書をまとめた『英霊の言乃葉（ことのは）』の朗読をさせて頂くようになって七年になる。毎年定例的に行ってきたのは秩父（ちちぶ）神社だが、その他にも国内外の戦跡を訪ねる際、その地にゆかりの英霊の言乃葉を朗読してきた。言乃葉を通じ、英霊たちが、ただ自分の家族だけの平安、日本国だけの平和を望んでいたわけではないことを感じ、深く心を打たれる。

特に、私の心をとらえた二柱の言乃葉があった。

ひとつは、特攻隊振武（しんぶ）隊隊長渋谷健一命（のみこと）の「出撃に際して倫子へ、生れる愛子へ」と題し、ふたりの娘に書き残したもので、その一節に、このように書かれている。

> 世界に平和が訪れ、万民太平の幸を受けるまで、懸命の勉強をすることが大切なり

もうひとつは、特攻隊の生みの親とされる海軍中将・大西瀧治郎命（たきじろうのみこと）の遺言だ。

特攻隊の英霊に申す　善く戦いたり　深謝す
最後の勝利を信じつつ　肉弾として散華せり
然れ共　其の信念は　遂に達成し得ざるに至れり
吾死を以って　旧部下の英霊と其の遺族に謝せんとす

次に一般青壮年に告ぐ
我が死にして　軽挙は利敵行為なるを思い　聖旨に沿い奉り
自重忍苦するの誡ともなれば幸なり
隠忍するとも日本人たるの矜持を失う勿れ

諸子は国の宝なり
平時に処し　猶お克く特攻精神を堅持し
日本民族の福祉と世界人類の和平の為
最善を尽くせよ

このように、先人たちが目指したのは、「万民太平の幸」であり「世界人類の和平」であった。

日本人がこのように和を尊ぶ源流は、初代神武天皇が橿原(かしはら)で都を立てられた際に出された詔の中で、「八紘(あめのした)をおおいて家と為(な)す」、つまり「天の下にひとつの家のような社会を築こう」という、建国以来、脈々と受け継がれてきた精神にあるのではないだろうか。日本のことを、大きな和と書いて「大和(やまと)」ということにも、国柄がよく表れているように思う。

だからこそ先人たちは、欧米列強が弱肉強食を地で行くがごとく、被占領国の人々を人とも思えぬような扱いをしたのとは対照的に、弱きを助け、強きを挫(くじ)いて、大きな和、世界の平和を目指したのではないか。

八紘為宇を実現するためには、それが脅かされそうになったときには、最終的には戦うことも辞さないという覚悟が必要だ。しかし、戦後日本では、戦うことは、イコール悪であるという短絡的な思想が植え付けられてしまった。

「大和魂(やまとだましい)」と聞いて、みなさんは、何を連想するだろうか？　おそらく特攻隊に象徴されるような勇猛果敢に戦った英霊たちを思い起こす方が多いのではないかと思う。しかし、「大和」という言葉が含まれていることからもわかるように、本来は、「大きな和」つまり「みんなが平和に暮らしていける世界」を求める魂だ。しかし、平和は、いつもニコニコしていれば保てるわけではない。ひとたび、和を乱す存在が現れ、話し合いでどうしても解決がつかなければ、最終的には「自らの体を犠牲にしてでも戦って和を守る」という荒ぶる魂の裏付けがあってこそ、保たれるものなのだ。

神道には、「和魂」、「荒魂」という言葉がある。一見相反する魂のようだが、「和を守るための武」ということで、それが表裏一体となったものこそが「大和魂」なのではないか。

英霊たちの思いを受け継ぎ、日本を取り戻したいと、私は思う。戦後日本は、「いざとなったら戦ってでも国を守る」という荒魂、つまり、武の精神をあまりに忘れてはいまいか。だからこそ、拉致被害者が四十数年もの間、北にとらわれ続けていても見捨てておける、また尖閣諸島に中国の手がひたひたと迫っても事なかれ対応で済ませてしまう国に成り下がっているのではないか。このままでは、靖国に祀られる先人たちの思いを無にすることになってしまう。

英霊が願っていたのは、世界人類の和平だ。そして、それは天皇陛下の大御心（おおみごころ）を体することでもあるだろう。平時に特攻精神を堅持するというのは、並大抵のことではない。しかし、単に英霊に感謝と慰霊の念を捧げるだけではなく、その御心を体してわれわれが生きる、行動することこそが、真の意味で「英霊の思いを受け継ぐ」ことになる、と私は思うのだ。

(7) こんな教科書だったから「日本人」が育まれた──『初等科國語』

戦後七五年だった昨年、一冊の素敵な本に出会った。戦中の国民学校三・四年生が使っていた国語の教科書『初等科國語』の復刻版だ。読んでみて、驚嘆した。「日本人としてふまえておきたい大切なこと」が、やさしい言葉に濃縮されて、ぎゅっと詰まっていたからだ。神話・皇室・神社・祝祭日・軍人・尚武（しょうぶ）の精神・自然などが題材になっているが、通底しているのは優しさだ。「靖国神社」は、国語と修身の双方に登場する。

例えば、戦前戦中の日本はイケイケドンドンの軍国主義で、軍人、特に上官はふんぞり返り、国民や兵卒を圧迫したと戦後教育では教わった。ところが、そんな印象とはまったたく違う軍人像や国民との心温まる触れ合いが描かれているではないか！

中でも衝撃的だったのは、「大演習」だ。軍隊が「民泊」していたことを、恥ずかしながら私は初めて知った。演習を終えた兵隊さんが家に泊まるというので、小学生が急いで学校から帰ってくる。お風呂から上がった兵隊さんに「銃や剣を見せてもらって大喜びの弟、夕飯の支度にいそがしいおかあさん。私も、兵隊さんの靴下を火にあぶって、かわかしてあげました」と、軍と民が一体となっていた様子が生き生きと描かれる。さらに、遠くから演習を見ていると、天皇陛下がお出ましになり、「風当りの強い高地なのに、外とうをも召されず、熱心に戦況をごらんになって」いる。そんな陛下のお姿に、「目が涙でいっぱいになりました」とある。天皇と軍、天皇と国民の一体ぶりにも感じ入った。

通読し、戦後の日本人が失ったものの大きさを痛感した。優しさ、尚武の精神、美学。優しいからこそ、強くなければならなかったし、強いからこそ優しくなれた。平和を守るためには、最終的には命を賭(と)してでも戦う覚悟が必要だ。その覚悟を持った人間を美しいと感じるのが、日本の美学であったろう。こうした価値観に裏打ちされた君民一体の国柄が日本の力の源であったのだ。

そんな日本の強さの根源となる精神を養う教科書だからこそ、ＧＨＱが危険視し、墨塗りにしたことは想像に難くない。日本が正気を取り戻すためにも、塗られた墨はわれわれの手で落とさねばなるまい。

第四章　皇統を守る

(1) 戦後史観の中で浸透した誤解だらけの天皇像

恥ずかしながら告白すれば、戦後教育の中で育った私は、長く「天皇制反対」だった。天皇を中心とする皇室は「国民の税金で贅沢な暮らしをしている」、また叙勲に象徴されるように「権威の象徴」、つまり「国民に階級をつけ不平等にする大本」だと思い込んでいたからだ。

そんな私に、大学生時代、転機が訪れた。ある人が貸してくれた本に、天皇は「国の平和と国民の安寧を祈る人」と書かれていたのだ。驚いた。学校教育では、天皇の務めとして「内閣総理大臣・最高裁判所長官の任命」や「国会の召集」、「国賓へのご会見」などは習ったが、一番大切なお務めである「祈り」についてはまったく教えられたことがなかった。今思えば、それもそのはず、戦後GHQは神道指令を出し、宮中祭祀を皇室の「私的な行事」にしてしまったからだ。

これを契機に、少しずつ私の色眼鏡もはずれ、やがて、天皇陛下ほど「無私」のご存在はないと知るに至る。

竈に立ち上る煙がないことから民の生活を案じて税を免じ、宮廷内の雨漏りも直さなかったという仁徳天皇、「千年に一度」と言われた東日本大震災と同規模だった貞観の大地震に際して「責任は深く自分にある」とされた清和天皇、日清戦争時、出征中の兵士を思い、広島の大本営でも粗末な木造の司令部で起居し、常に軍服を着用して暖炉も使わなかった明治天皇など、歴代天皇が民を思い、寄り添ってきたエピソードは枚挙に暇がない。

中でも私が衝撃を受けたのは、現代にも続く元旦の四方拝だ。国民が初詣に向かうころ、宮中では歴代の天皇がこんな祈りを捧げてくださっている。「盗賊の災いが国民に降りかからず我が身を通過しますように。毒の災いが国民に降りかからず我が身を通過しますように。危難が国民に降りかからず我が身を通過しますように。五つの陥りやすい危険や君臣・親子の対立など六害は国民に降りかからず我が身を通過しますように。万病を癒やし、私の欲していること悩んでいることを、早く実現させてください」。

気付いていようがいまいが、われわれ国民は常に、天皇の「国安かれ、民安かれ」という祈りに包まれながら生きているのだ。まさに親が子を思うがごとく、国民を「大御宝」

として大切にしてくださるご存在を、国民もまた敬愛し、天皇と国民が「君民一体」となった国柄を受け継いできたのが、私たちの国「日本」であろう。

それにもかかわらず、戦後教育やマスメディアでは、天皇像を歪（ゆが）めて伝えてきた。時代劇などで天皇は、御簾（みす）の向こうにいてなよなよとし、庶民（しょみん）の暮らしを知らない、というより、知ろうともしない「お公家（くげ）さん」の象徴のように描かれることが多い。これは大きな印象操作だと言ってもよいだろう。

歴代天皇の事績を知る中で、私にとってもっとも衝撃的だったのは、幕末を生きた孝明（こうめい）天皇が文久二年五月一一日に出された「時局御軫念（じきょくごしんねん）の御述懐（ごじゅっかい）」という勅書（ちょくしょ）だ。黒船来航に始まる外国からの開国圧力に、右往左往する幕府。そんな弱腰外交では国を守れないと危惧（きぐ）した天皇が、意を決して出した長い勅書だ。

かいつまんで紹介すると、以下のような内容になる。二百年余の太平に慣れ、緊張感を忘れ、軍備を怠（おこた）ってきたところに、ペリーが来航し和親条約を結んでしまった。以来、外国に主導権をとられた状態で、今度は通商条約の締結を迫られ、幕府がその許可を求めてきたが、到底受け入れられるものではない。ところが、僅か一〇日あまりの間に幕府は勝手に条約を結んで通商を開き、それを「仕方なかった」と一片の紙切れで報告してきた。これは朝廷を侮る行為で甚だ無礼である。幕府は攘夷を求める正義の者を排斥している。このような処置に反発した者たちによって反乱が起きれば、外国がその機に乗じて戦を起こすのではないかと危惧する。国難に公武が一丸となって立ち向かうため、忍び難く思いながらも妹の和宮を徳川第一四代将軍家茂へと降嫁させた。

そして、結びの言葉が、こちらだ。

惟に因循姑息、
旧套［舊來のやり方］に従ひて改めざれば、
海内［國内］疲弊の極［窮まり］、
卒には戎虜［歐米人］の術中に陥り、
坐しながら膝を犬羊［西洋人］に屈し、
殷鑑遠からず、印度の覆轍［二の舞］を踏まば、
朕實に何を以てか先皇在天の神靈に謝せんや。

若し幕府十年内を限りて、朕が命に従ひ、
膺懲の師［懲らしめの軍隊］を作さずんば、
朕實に斷然として神武天皇神功皇后の遺蹤［前例］に則り、
公卿百官と、天下の牧伯［諸侯］を師ゐて親征せんとす。
卿等、其斯意を體して、以て朕に報ぜん事を計れ。

「ぐずぐずして従来のやり方を改めないならば、国家が疲弊し外国の思うツボにはまり西洋人に膝を屈する事になる。戒めとすべきインドの二の舞になるとしたなら、私は何と先帝や祖先の霊に謝ればよいのか、とても顔向けができない」とし、さらに、「十年以内に外国打払いの軍事行動を取るという私の命令にもし幕府が従わなかったら、私自身が神武、神功の遺業に習い、公家百官と全国の大名を率いて攘夷の親征を行う。諸卿は斯く心構えして私に報いるようにせよ」と、その覚悟には鬼気迫るものがある。

孝明天皇を突き動かしていた思いは、次の御製によく表れている。

すみのえの水に我が身は沈むとも

濁しはせじな四方（よも）の國民（くにたみ）

我が身はどうなろうとも決して国民を汚しはしないという、「歪められた天皇像」からは想像もできなかった、捨て身で国民を守ろうとする実在の天皇の姿がそこにあった。

（２）天皇陛下のご即位を祝う国民祭典で感じた君民一体

さわさわと日の丸の小旗が振られる音が背後からさざ波のように押し寄せてきた。その波に乗って、私も手にした小旗を振った。日の丸の波に視界が埋め尽くされたかに見えたとき、波間に、天皇皇后両陛下のお姿があった。

令和元年一一月九日、皇居前広場で行われた「天皇陛下御即位をお祝いする国民祭典」で、二重橋の石橋に天皇皇后両陛下がお出ましになったときのことである。この日、皇居前広場には延べ約七万人（第一部「奉祝まつり」約三万人、第二部「祝賀式典」約四万人）が参集した。

すでに大スクリーンには、お姿が映し出されていたものの、肉眼で拝するのは難しいと思っていただけに、言いようのない感慨が込み上げてきた。陛下に直接お目にかかった人が「涙が出てきた」と話すのを、それまで他人事のように聞いてきた。そんな自分にも、同様の感情が沸き起こったことに戸惑いを感じていたとき、二列前で小旗を振っていた大柄な老紳士が、目頭をぬぐった。

陸海空自衛隊合同音楽隊の演奏に始まり、丸の内のビルから昇ってきた令月に見守られながら進行した祝賀式典のクライマックスは、岡田惠和作詞、菅野よう子作曲の奉祝曲「Ray of Water」(水にさしこむまばゆい光)の演奏だった。天皇陛下が長年研究されている「水」をテーマに、第一楽章「海神(かいじん)」はオーケストラ演奏、第二楽章「虹の子ども」は辻井伸行さんのピアノ演奏、第三楽章「Journey to Harmony」は人気グループ「嵐」による歌唱を主とした、美しくも壮大な組曲であった。

中でも心を打ったのは、その歌だ。「君が笑えば世界は輝く…」と、天皇陛下と国民が一体となって和する日本の国柄が、思わず口ずさみたくなる歌詞とメロディーで紡(つむ)がれていた。微笑みながら聴いておられる両陛下のお姿に、ふと「国民は大御宝」なのだと実感した。その「大御宝」に自分も含まれると思い当たったとき、言いようのない幸福感に包まれた。奉祝に集った数万人が、陛下を中心に和しているこの瞬間を体に刻みたいと思った。

と同時に、ひとつの思いが沸き上がってきた。口幅(くちはば)ったい言い方になるが、国民として、陛下をお守りしなければ、と。思えば、これは、悠久の歴史の中で、多くの先人たちが等しく抱いてきた国民感情ではなかったか。

天皇皇后両陛下ご退出にあたっては、「天皇陛下万歳(ばんざい)」がいくたびも繰り返された。靖国(やすくに)神社の遊就館(ゆうしゅうかん)や知覧(ちらん)の特攻平和会館はじめ各地に残されている軍人の遺書には、随所に「天皇陛下萬歳(ばんさい)」と認(したた)められている。戦後教育では、これを軍国主義に洗脳されていた結果だと習うが、果たして、そう言い切れるのだろうか。

少なくとも、「天皇陛下のご即位を祝う国民祭典」で繰り返された「天皇陛下万歳」に軍国主義を感じる人は、誰一人いなかったであろう。むしろ、われわれ国民を「大御宝」として慈(いつく)しみ、幸せを祈ってくださる陛下への敬愛の念と、天皇という存在を中心に同時代の人とも過去や未来の人ともひとつになれる日本人であることへの喜びから、自然発生的に沸き上がった国民感情の発露であったように思う。

夜風に吹かれながら皇居前広場を後にしつつ、日本人であることの幸せをしみじみと噛みしめた。

（3）「女性天皇」と「女系天皇」の違いを知っていますか？

そんなかけがえのないご存在である歴代の天皇は、今上(きんじょう)陛下に至る一二六代すべて、「父親をたどっていけば初代・神武天皇に繋(つな)がる血統」、つまり男系で受け継がれてきた。これを、万世一系(ばんせいいっけい)という。

その皇統を巡って、憂慮すべきことがある。皇位継承に関する問題だ。平成から令和への御代替(みよが)わりに先だち、国会で審議された「天皇の退位等に関する皇室典範特例法」の付帯決議では、「安定的な皇位の継承を確保するための諸課題、女性宮家創設等」を速やかに検討し、国会に報告することが求められた。政府は、秋篠宮殿下(あきしののみやでんか)が皇位を継ぐ皇嗣(こうし)であることを公に宣明する令和二（二〇二一）年四月一九日の立皇嗣(りっこうし)の礼以降、本格的な議論を開始するとしていた。ところが、新型コロナウィルス騒動で立皇嗣の礼が延期され、一一月八日に挙行されたものの、その後、有識者会議の初会合がもたれたのは令和三年三月二三日であった。本書を執筆している現在に至るまで三回の会合が持たれているが、結論に繋がる動きはまだ伝わってきていない。

本来、この問題は国民がしのごの言う話ではないはずだが、政府は一貫して「男系継承を重視しつつ、国民世論の動向を注視し、検討を進める」と繰り返しているため、やはり国民の理解が重要になってくる。

にもかかわらず、その国民の理解が、大変におぼつかないのだ。NHKの世論調査（二〇一九年九月末）によると、「女性天皇に賛成」が七四％（反対一二％）、「女系天皇に賛成」が七一％（反対一三％）に上る一方で、「女系天皇の意味を知らない」が五二％と過半数の人が意味を知らずに、女性天皇・女系天皇に賛成している。おそらく、皇統を巡る歴史や文化を知らずに、男女同権という社会的風潮の流れで、なんとなく賛成している人がほとんどなのではないだろうか。「安定的な皇位継承のために皇室制度を改める必要がある」と答えた人も五四％（必要ない三一％）と半数を超える。

確かに、歴史上には、十代八方の女性天皇が存在したが、すべて、次の天皇となるべき方が幼少であったり、なかなか決まらなかったりしたことによる中継ぎとしての即位であった。どの女性天皇も、未亡人もしくは生涯独身を通され、在位中にお子様をお生みになることはなかったため、女系天皇（父親をたどっても神武天皇に繋がらない天皇）は存在していない。

政府が「注視する」としている「国民世論」に影響を与えかねない「愛子（あいこ）天皇」待望論が女性誌などを中心に散見される。仮に愛子天皇が実現したならば、父親は今上陛下なので女系ではなく「男系の女性天皇」だ。しかし、現代にあって、天皇となられた愛子内親王（ないしんのう）殿下に「結婚や出産を控（ひか）えるように」などと言うことができるだろうか。道義的にも人権的にも、言えないであろう。そうやって愛子天皇が一般男性と結婚されたとすると、その子供は男子であれ女子であれ自ずと女系天皇になる。極端な場合、外国人と結婚され、次の天皇が混血ということにもなりかねないのだ。

果たして、そのような天皇に私たちは、「天皇陛下万歳」と言えるのだろうか。悠仁親王（ひさひとしんのう）殿下と同世代の男性皇族が他にいないからと、曖昧（あいまい）な認識のままに女系天皇をよしとすることは、これまで連綿と受け継がれてきた万世一系の歴史の断絶を招く重大事なのだ。「女性宮家」も同様で、例えば、秋篠宮家の眞子（まこ）内親王殿下、佳子（かこ）内親王殿下といった女性皇族が民間の男性と結婚すれば、本来ならば皇籍離脱される。が、仮に女性宮家として皇族に残り、その夫が皇族となれば、そのお子様は女系となる。宮家とは、元来、直系という主柱から男子が絶えたときに、傍系（ぼうけい）から男子を迎えて皇位を継がせるための支柱、竹田恒泰（つねやす）氏いうところの「血の伴走者」だ。女性宮家を認めることは、その大前提が変質し、やはり「女系天皇」への道を開くことになる。

ちなみに、第四三代元明天皇と第四四代元正天皇は母子であるため、「歴史上にも元正天皇という女系天皇が存在していたではないか！」と思われがちだが、元正天皇の父親は草壁皇子、その父親は天武天皇だ。つまり、父親の父親と辿っていくと初代神武天皇に繋がるので、元正天皇もやはり男系の女性天皇である。このことからわかる通り、実は「女系天皇」という表現はあまり意味がない。重視されるべきなのは「男系」か「男系でないか」ということになる。

(4) 正統な皇統を死守しなければ、日本は「日本」でなくなる

こうしたことは現代の学校教育ではまったく教えられないため、多くの人が正しい知識を持たないのも無理はない。そもそも、そのようにしてゆるやかに国体を破壊し、日本を弱体化させることが戦後ＧＨＱによって進められたＷＧＩＰ（War Guilt Information Program＝戦争についての罪悪感を日本人の心に植え付けるための宣伝計画）の目的であった。

そもそも、戦後、宮家の数が大幅に減ったのも、昭和二〇（一九四五）年一一月、ＧＨＱが皇室財産の凍結を指令し、生活費を除く一切の財産を凍結した上に、税率九〇％にも上る物品税を課して皇室財産を没収したことに起因する。その結果、昭和天皇の弟君である三直宮家（秩父宮、高松宮、三笠宮）以外の十一宮家（伏見、閑院、久邇、山階、北白川、梨本、賀陽、東伏見、朝香、竹田、東久邇）は、昭和二二（一九四七）年に皇籍離脱を余儀なくされた。その陰に、皇統を先細りさせることによって、将来的に断絶させようとするＧＨＱの意図が透けて見える。こうしたことは、すべてしたたかに水面下で進められたため、当然ながら、ＧＨＱの意向に沿った戦後教育を受けただけの国民は知らないのである。

大切なのは、知らない人を責めるのではなく、「知った人間」が、嚙み砕いてわかりやすく伝えることで、同様の危機意識を持つ仲間を増やしていくことであろう。それはすなわち、ＧＨＱによる洗脳政策から覚醒した日本人を増やすことでもある。戦後レジームからの脱却に欠くことのできない、重大な意味を持つ一歩でもあるのだ。

歴史を振り返れば、皇位継承をめぐる危機は何度もあった。しかし、先人たちは、何代も遡り、男系の血を受け継ぐ傍系から適任者を探し出して皇統を維持した。もっとも顕著な例では、第二五代武烈天皇から第二六代継体天皇までは十親等も離れている。系図を応神天皇まで五代遡り、そこから五世の孫を探し出し、大伴金村が越前まで迎えに行った。その後も、第四八代称徳天皇から第四九代光仁天皇までは八親等、第一〇一代称光天皇から第一〇二代後花園天皇までも八親等、最後に、第一一八代後桃園天皇から第一一九代光格天皇までは七親等離れている。

困ったときには、先人に学べばよいのだ。そして、現行法でそれが実現できないのであれば、それを変えていけばよい。いや、他国の圧力によって作られたものは、日本人自身の手であるべき姿に変えるべきなのだ。あるべき姿とは、現在、政府と国会が進めようとしている皇室典範の改定に際し、女性宮家や女系天皇を容認するような加筆修正を阻止することと、旧十一宮家の男系の子孫のうち、然るべき方々の皇籍復帰を実現することに他ならない。

「戦後七〇年以上経って、その間民間人として生きてきた人が皇籍復帰するには俗世にまみれすぎている」という意見もあるが、皇籍復帰して頂く方は何も成人である必要はない。むしろ、旧十一宮家の中の生まれたての男子を現宮家の養子として迎えるほうが、生まれながらにして皇族という環境で養育することが可能となるし、現存する宮家の数を増やす必要もないので法的なハードルも低くなる。また、旧宮家の男子がご結婚された際に「夫婦養子」として現宮家にお入り頂くという方法もある。

子々孫々に至るまで、心から「天皇陛下万歳」と言える日本を受け継ぐことは、先人たちから受け継いだバトンを担って今を生きる、われわれの責務でもある。

(5) 小異を捨てて、世論の大同団結を!

捨て身で国民を守ろうとする無私の存在である天皇が、どんな権力者も遜(へりくだ)る権威ある存在であるところに日本の叡智(えいち)があるのではないだろうか。他国に類を見ない「万世一系」の皇統が連綿と維持されてきたのは、まさに日本民族の知恵であろう。

それが絶たれ「日本が日本でなくなる」事態は、今を生きる者の責任として阻止しなければならない。国会議員には、青山繁晴参議院議員を代表として「ただ一系の天皇陛下のご存在を護るために皇位継承を正しく安定させる」ことを活動目標の第一に掲げる「日本の尊厳と国益を護る会」が存在するが、政府が一貫して「国民世論の動向を注視し」と言っているにもかかわらず、肝心の世論の盛り上がりが薄い。そこで、「国民世論」として上記を訴えようと、令和元(二〇一九)年一〇月二二日、今上陛下の即位礼の日に、「皇統（父系男系）を守る国民連合の会」（以下、守る会と略）を設立、不肖葛城が会長に就任した。

守る会の具体的な活動目標は、これまで記してきたように、現在政府が進めようとしている皇室典範の改定に際し、女性宮家や女性・女系天皇を容認するような加筆修正を許さないこと。加えて、男系の血を安定して継承するため、ＧＨＱの圧力によって臣籍降下された旧十一宮家の子孫等から然るべき方々の皇籍復帰を実現することだ。

呼びかけ人は私を含め六名の女性たち（赤尾由美、我那覇真子、佐波優子、ｓａｙａ、竹内久美子）だ。女性ばかりを呼びかけ人にしたのには意味がある。いわゆる保守と呼ばれる憂国の士たちが、思いの熱さのあまり分裂・敵対してしまうケースをこれまで数多く目にしてきた。「本当の敵は、そこじゃないのに、仲間割れでエネルギーが削がれてしまうのはもったいない」と常々感じてきた。そこで、皇統を守るために、小異を捨てて大同団結するには女性が中心になって呼びかけたほうがよいのではと考えたのだ。

発足後まもなくコロナ禍に見舞われたが、そんな中でも講演会を開催すると、毎回会場は満員御礼となり、静かに熱く危機感を共有している人が多いことを実感している。とはいえ、まだまだ「国民連合」という看板に見合った会にはほど遠いが、コロナ禍で国会での検討が先延ばしになっていることを逆手にとって仲間を増やしていきたい。

守る会が実動を始めたのは、令和二（二〇二〇）年の二月に衆議院議員会館で記者会見を行って以降だったが、それからほどない三月九日付で国連「女子差別撤廃委員会」から日本政府への質問事項リストが発せられた。そのパラグラフ2に「皇室典範について、現在は皇位継承から女性を除外するという決まりがあるが、女性の皇位継承が可能になることを想定した措置についての詳細を説明せよ」とあった。つまり、国連は「皇室典範の皇位継承が男系男子に限られているのは女性差別である」と言いたいのだ。

正しい歴史を次世代に繋ぐネットワーク「なでしこアクション」代表で国際歴史論戦研究所（杉原誠四郎会長）副会長の山本優美子さんからこの情報を得た守る会でも、国連に意見書を提出することにした。

山本さんによると、そもそもこのような質問が出た背景には、日本のNGOが「皇室典範が女性の皇位継承を排除していることは、女性差別撤廃条約一条（女性差別の定義）、二条（締約国の差別撤廃義務）、一五条（法の下の平等）に違反する。このような法の規定は性差別主義に根差すものであり、日本社会における女性に対する差別を助長するものである」と意見書を送ったことがあると思われる。

日本政府は、この質問に対して回答せねばならず、その回答に対して委員会から勧告が出される。一度勧告が出される、つまり問題化されるとまた日本政府に質問が出され、同じ事が繰り返される。一度ある委員会で問題化されると他の委員会でも取り上げられる可能性が高く、いつの間にか、「日本の皇室典範は女性差別」という認識が国連のお墨付きで広がっていく可能性が高いという。

これを阻止するために、同年五月、「皇統（父系男系）を守る国民連合の会」として以下のような概要の意見書を国連「女子差別撤廃委員会」に提出した。


日本の皇室典範「皇位の男系男子継承」は古代伝承に基づく信仰であり、女性差別として扱うことは「宗教の自由」への侵犯である。

カトリック教会の法王・枢機卿・神父などの聖職者、イスラムの聖職者はみな男性。なぜローマ法王庁やイスラム教国には「女性差別」と言わないのか。

補足すれば、日本の国技の相撲は男性のみ、伝統芸能「歌舞伎」も男性のみ、人気ミュージカル劇団「宝塚歌劇」は女性のみだが、これを日本人は差別とは思わない。
日本における皇統の男系一貫は、民族固有の価値観から生まれた文化として尊重されるよう、切に願う。

このように日本を弱体化させる動きは、今なお国内外からひたひたと迫ってきている。男女平等は大切だという、聞こえはいいが、いわゆるポリティカル・コレクトネス受けする浅薄な価値観だけを重視して日本文化の核心である皇統が絶たれるようなことがあっては断じてならない。

議員会館での記者会見後に、私たち呼びかけ人のことを「名誉男性」だと批判してきた女性たちがいた。「女性こそ女性差別をなくすために女系を認めなくてはいけないのに、男の肩をもって、そんなに媚びたいのか」「女の敵は女」といった調子であった。

そのように思う人には、長く続いてきたものへの畏れについて少し考えてもらいたい。例えば、数千年を生きてきた屋久杉やご神木を伐ろうという話が持ち上がったとする。理由が、枝葉が落ちてきて掃除が大変だからとか邪魔だからとかいうのであれば、通常の感覚なら、それより大切なことがある、もう少し慎重に考えようと思うだろう。

国際武道講習会で海外に出る際には、いつも体育館を清掃し、白布を敷いて神棚をしつらえ、その土地の常緑樹を榊の代わりに神籬にして神道の祭祀を行ってから稽古を始める。当然ながら、海外にはキリスト教をはじめとする様々な宗教を信仰する人々がいる。しかし、そんな彼らも、「この神道セレモニーはみなさんが信じる神様を否定するものではなく、この土地の神様、みなさんが信じる神様も含めて八百万の神々に講習が開催できたことを感謝するとともに、安全に実りある稽古ができることを祈るものです」と説明すると、すんなりと一緒に頭を垂れてくれる。と同時に、日本の天皇について知ると、こんな思いを吐露されることがある。「キリスト教が入ってきて、それ以前にわれわれの祖先が信じていた宗教が駆逐され、私たちは自分たちの起源と隔絶されてしまった。日本には天皇がいてうらやましい。私たちはどうやって先人たちと繋がってよいかわからないのです」。

客観的に見れば、日本の皇室の一二六代、二六八一年（令和三年現在）という古さは、世界でも群を抜いている。君主国の中で二番目に古いデンマークでも五五代、約一〇六〇年と半分以下だ。あれだけメディアにもよく登場する英国王室でさえ、四〇代、約九五〇年と千年に満たない。しかも、両国とも女系が容認されているため王朝は一系ではない。

起源が神話にまで遡り、一度の王朝交替や断絶もなく万世一系で受け継がれてきた日本の皇室は、世界史的に見ても、まさに奇跡のような存在なのだ。

長く続いてきた文化・伝統には、民族の叡智やさまざまな思いが込められているはずだ。だからこそ価値あるものとして世代を超えて大切に受け継がれてきた。それを現代という一時代の価値観だけでバサッと絶ってしまうとしたら、そのツケは非常に大きなものになる。なにせ、伐ったら最後、二度と元には戻せないのだから。その行為を先人たちは、子孫たちはどう思うだろうか。そんな畏れを知らない不遜なことをやってはいけないと私は思う。逆に言えば、その幹さえしっかりと受け継がれれば、枝葉が多少損なわれても日本は日本であり続ける。私たちは、そんな幹のもとに、神話から繋がる歴史・文化を連綿と紡いできた世界に類を見ない幸せな国民なのだということを心に刻みたい。

第五章　自衛隊のあるべき姿とは

（1）「手袋」「行進」――予備自衛官補になって実感した日本の歪み

「予備自衛官補」という制度を、ご存じだろうか？

もともと、予備自衛官になれるのは元自衛官だけだった。だが、平成一三（二〇〇一）年、一般人や大学生など自衛隊未経験者にも予備自衛官への扉が開かれた。目的は、「国民に広く自衛隊に接する機会を設け、防衛基盤の育成・拡大を図るとの視点に立って、将来にわたり、予備自衛官の勢力を安定的に確保し、更に情報通信技術（ＩＴ）革命や自衛隊の役割の多様化等を受け、民間の優れた専門技能を有効に活用する」こと。いわゆる「公募予備自衛官」制度が始まったのだ。

陸上自衛隊の公募予備自衛官には、いざというときに後方地域での警備や支援にあたる「一般枠」と、衛生や語学、情報処理、通信、土木建築、整備、電気、建設、放射線管理、法務といった専門技術を活かす「技能枠」とふたつのコースがある。前者は三年以内に五〇日間の、後者は二年以内に一〇日間の訓練を経て、予備自衛官に任官する。

この制度が始まると知ったのは、第三章で記した市ヶ谷記念館勤務時代だった。市ヶ谷台ツアーの案内人として日を重ねるにつれ、自分の発する言葉の薄っぺらさに、もやもやとした気持ちが募っていた。自衛隊と国民の懸け橋になりたいと思って始めたことだったが、与えられた原稿を覚えて話すだけでは、どうしても言葉に説得力が出ない。どうしたものかと思っていたタイミングでの、五感で自衛隊を体感できる予備自衛官補制度発足の知らせに「待ってました」とばかりに飛びついた。第一期生として、神奈川県横須賀市の武山(たけやま)駐屯地での訓練を開始したのが、平成一四(二〇〇二)年夏のことである。

訓練内容は、「気をつけ」「回れ右」など基本教練に始まり、六四式小銃の分解・結合、戦闘訓練、催涙(さいるい)ガス体験、射撃、二五キロ行進など。大学以来、ずっと運動を続けてきた私としては肉体的にはさほどきつくなかったが、部隊章などを縫(ぬ)い付ける「裁縫(さいほう)」や、毎晩ビシッとかけなければならない「アイロン」、集団行動を乱さないための「早飯」が三重苦だった。

教官たちは、初めて扱う「予備自衛官補」なる人種に戸惑いも大いにあったはずだが、総じて指導は親身で熱く、行動のひとつひとつがキビキビとして清々(すがすが)しかった。最初の一週間の訓練を終え、いわゆるシャバに戻ったとき、渋谷のスクランブル交差点を歩く男性が全員ナヨナヨとして見えてしまったのには我ながら仰天した。

訓練で驚いたことのひとつが、自衛隊特有の言葉の使い方だ。と言っても、軍事用語ではなく、むしろその逆、軍を避ける用語の数々である。例えば、「手袋」。色が白ではなくOD（オリーブドラブ）色なだけで、どう見ても軍手なのに、それを「手袋」と呼ぶ。また「一〇キロ行進」「二五キロ行進」など、銃を持ち背嚢を背負って歩くことを「行進」という。それまでの私の常識では「行軍」だと思うのだが、そうは言わない。「行進」なんて、正直なところ、「幼稚園生や小学生じゃあるまいし、変なの」と思ってしまった。要は、「軍」という言葉を避けているのだ。一般人が普通に使っている言葉をあえて使わない自衛隊に、組織としての軍アレルギーの浸透ぶりを実感した。その後、「歩兵」は「普通科」、「戦艦」は「護衛艦」等々、時間と共に、同様の事例は枚挙に暇がないことを知るようになる。考えてみたら、戦車や戦闘機を持ち、どう見ても軍隊である組織を「自衛隊」と言っているところからして根本的に歪んでいるのだ。

当時はまだ制度が始まったばかりで訓練の体制も整っておらず、予備自衛官補の訓練ができるのは夏と冬のみであった。半年後に、二週目の訓練に入る頃、印象的な出来事があった。

日本企業に勤める同期から「一週間も会社を休むということは、わかってるだろうな！」と上司に言われ、退官せざるを得なくなったとメールが来た。対照的に、フランス系企業に転職した同期は「名誉ある任務だから胸を張って行ってこい」と会社が快(こころよ)く送り出してくれたという。日本社会の国防意識の低さを、まざまざと見せつけられた気がした。

実際私も、予備自衛官補としての五〇日間の訓練を終え、自分が日本国の一員だと実感できる教育を初めて受けたと感じた。それまで私の歩んできた道には、「良き市民であれ」もしくは「良き世界市民であれ」という教育はあっても、「良き国民たれ」という教育は、残念ながらほとんどなかったように思う。私がぼーっとしているときも、仲間たちと楽しくお酒を飲んでいるときも、領空侵犯のおそれがある航空機が近付いてきたら航空自衛隊がスクランブル（緊急発進）で睨(にら)みをきかせてくれているから安全安心な生活が守られていた、などということに一ミリも思いを致したことがなかった。我がことながら、これは、大人としてあまりにも恥ずかしい、異常なことだと思う。

そんな異常な国民を増やさないためにも、「誰しも、私が予備自衛官補として受けた五〇日間くらいの自衛隊訓練を受けた上で成人と認めるシステムにしたらいいのでは」と考えるようになった。なにも自衛隊に限らなくてもいい。警察、消防、海上保安庁、もしくは施設でのボランティアでもいい。「公（おおやけ）」のために「私（わたくし）」を滅して尽くす、つまり、ちょっと古い言葉でいえば「滅私奉公（めっしほうこう）」する一定期間を経て「成人」と認めるようにすれば、日本社会ももう少し成熟したものになるのではないだろうか。

五〇日間の予備自衛官補としての訓練を終えて予備自衛官になると、今度は元自衛官の予備自衛官と一緒に、年五日間の訓練を受けるようになる。

初めての予備自訓練で、愕然（がくぜん）とした。それまで教官方と直接触れ合うことによって抱いていた「自衛隊」の印象とはかけ離れた「元自衛官」の姿を目の当たりにしてしまったからだ。予備自衛官補時代には、あれだけ時間厳守を徹底されたのに、集合時間に遅れてもだらだらとやってくる。あれだけ着こなしについてもうるさく言われたのに、帽子は斜に被っている、作業服のチャックは半分開いている。体力測定の時間になったら、「健康状態に異常がある」として戦列を離れる人がぞろぞろと出てくる。座学が始まったかと思えば即、鼾（いびき）をかいて爆睡しているのに、宴会（えんかい）になったら急に溌溂（はつらつ）として元気いっぱい……。いったいこの人たちは何をしに訓練に来ているのだろうと、首をかしげずにはいられなかった。しかも、この訓練は国民の税金によって成り立っているのだ。もちろん、そんな人ばかりだったわけではないのだが、そのように悪い意味で目立つ方々が少なからずいたことも確かなのである。

そんな「大先輩方」に「○○すべきだと思います」「××すべきではないと思います」などと言ったところで聞いてもらえるはずもない。とにかく、自分がやるべきだと思うことを淡々とこなし、その姿を見てもらうしかなかった。が、中には問題意識を抱いている元自衛官もいて、そんな先輩には「どんどん所見に書いてね」と言ってもらい、毎回訓練の最後に提出する所見には思うところを正直に書かせてもらった。

そのようにして自衛隊そのものにも意識改革の必要性を感じる一方で、徐々に湧き上がってきたもうひとつの思いがあった。平成七（一九九五）年の阪神淡路大震災くらいまでは、自衛官を「税金泥棒」や「人殺し」呼ばわりする社会的風潮が色濃く残っていた。そんな中で「自衛官であることに誇りを持て」と言うほうが無茶な話だったのではないか。目の前の先輩方にあれこれ文句を言うよりも、いざというときに命をかけて日本を守る存在である自衛官に正統な敬意と感謝の念を抱く世の中をつくっていくことのほうが、遠回りなようでこの不健全な現状をまともな状態にする近道なのではないか、と。以来、私なりに微力は尽くしてきたつもりだ。

あれから二〇年近い歳月が流れた。気が付けば、予備自衛官の訓練風景はすっかり様変わりしている。東日本大震災をはじめ数々の被災地で、自衛官の献身的な姿を国民が目の当たりにしたことによるところが大きかったことは想像に難くない。その変遷を予備自衛官という、国民と自衛隊の狭間にいる立場で見てきて思うのだ。自衛官、予備自衛官の有り様は、国民の国防に対する意識の映し鏡なのだ、と。

(2) 部下を死地へ送る自衛官が感じたこと

平成一一（一九九九）年三月、能登半島沖で不審船事件が発生した。拉致被害者を連れ去っている可能性がある北朝鮮の工作船を、海上保安庁の巡視船と海上自衛隊のイージス艦が追跡した事件だ。以下は、そのイージス艦みょうこうで航海長を務めていた伊藤祐靖さんによる証言である。

工作船に追いついた巡視船から海上保安官が工作船へと飛び移ろうとした刹那、工作船は急加速し、巡視船を振り切ろうとした。イージス艦は、工作船の頭を押さえるために前代未聞の十万馬力全力を発揮して最大戦速を出し、あっという間に左船首を押さえる位置に着いた。しばらくすると巡視船から威嚇射撃が行われたが、上空に向けてパラパラと撃った感じのまるで威力を感じさせないものだったという。そう思っていたら、巡視船から「本船、新潟に帰投する燃料に不安があるため、これにて新潟に帰投します。ご協力ありがとうございました」と連絡があり、伊藤さんは血液が沸騰しそうになったそうだ。

　海上警備行動が発令されない限り、警察官職務執行法が適用されない自衛官には工作船に乗り込む権限はない。日本人が拉致されている最中かもしれないのに、自分たちが唯一その権限を持っていることを知りながら、工作船に背を向けて帰る巡視船なんぞ、「役に立たない警察官職務執行法と一緒に沈めてしまったほうがいいと思った」と述懐している。

　こうして、海上自衛隊に史上初の海上警備行動が発令された。三〇ノットを超える高速で北に向かってひた走る工作船に向けて、イージス艦から何発もの一二七ミリ炸裂砲弾による警告射撃が行われた。弾着点をどんどん工作船に近づけてもなかなか減速の兆候を示さなかった工作船が、ついに停止した。次に行うべきは、立入検査だ。当時、まだ自衛隊に特殊部隊はなく、イージス艦の乗員から二十数名が立入検査隊として工作船に乗り込むことになった。防弾チョッキもなく、指揮官以外は全員が下士官で、小銃の射撃訓練なら何度も経験していたものの、拳銃は撃ったことはおろか触ったことさえなかったという。

そんな彼らが、真っ暗な日本海で、高度な軍事訓練を受けている北の工作員が待ち受ける工作船に乗り込んで行く。銃撃戦で犠牲者が出ることは避けられないだろうし、工作船には自爆装置が装備されている。普通に考えて、立入検査隊は全滅する。しかしながら、出撃のための準備を済ませて再集合した隊員たちの表情には、悲壮感の欠片もなく、清々しく、自信に満ちて、美しいとしか言いようのないものだったという。その時の心境を、伊藤さんは次のように記している。

> 彼らは、三〇分後の溺死が確実なものになっていくなか、多くの欲求を諦め、そぎ落した。最後に残った願いは公への奉仕だった。（中略）そんな彼らを見ていると、急に政治家という生き物がひどく穢れたもののように感じられ、そんな奴らなんぞの命令ではなく、陛下からの命令で行かせてやりたいと思った。嘘をついてでも、陛下が御裁可されたと言ってやりたかった。

なぜ突然、私の頭に陛下が浮かんできたか。その理由は、はっきりしている。彼らが最後の最後に望んだものは、無私無欲な人から命じられることだったからだ。

（予備役ブルーリボンの会HP掲載コラム「北朝鮮工作母船追跡事案（第一〇話）」より）

立入検査隊の出撃直前に工作船は再び動き出し、そのまま逃走を続けて北朝鮮領海に逃げ込んだ。作戦中止命令が発令され、イージス艦も工作船の追跡を断念、巡視船同様、工作船に背を向けた。艦橋の左舷（さげん）に消えていく工作船の船影は、伊藤さんの脳裏から一生涯消えないという。伊藤さんは、現在、予備役ブルーリボンの会の副代表を務めている。

この能登沖不審船事件は、自衛隊に特殊部隊が創設される契機となった事件だったが、このとき伊藤さんは、ふだん天皇陛下を強く意識していたわけでもなかったため、自分から「御裁可」などという言葉が出てきたことに驚いたそうだ。それくらい潜在意識の奥深くに「無私の存在である天皇」が息づいていたということなのだろう。このエピソードに触れるごとに、私はこのような存在である天皇こそが「守るべき日本の核」だという思いを新たにさせてもらっている。

(3) 自衛官が制服を着て靖国神社に参拝してはいけない?

毎年八月一五日に制服で靖国神社に参拝している自衛官有志がいる。「国防に任ずるわれわれが国難に殉じた先人たちに感謝の誠を捧げ、御遺志を継承しようとするのは当然」として堂々と制服での参拝を呼びかけてきたのは、まもなく定年退官を迎える陸上自衛官の原口正雄曹長だ。

きっかけは、昭和六一(一九八六)年、時の中曽根康弘首相が中国の干渉で参拝を中止したことに始まる。義憤にかられた有志四名が、ならば自分たちがと制服での参拝を開始した。以来、隊内に参拝を快く思わない風潮がある中、参加者は増減を繰り返した。時にはたったひとりきりの参拝になってしまったことに拳を床に打ちつけ、悔し涙を流したこともあったという。原口曹長を中心とする「みたま奉仕会」のメンバーは、八月一五日の参拝のみならず、毎月一回、休日の早朝に制服自衛官有志による靖国神社境内の清掃奉仕も行っている。

終戦七〇年を迎えた平成二七(二〇一五)年八月一五日、原口曹長の熱誠に応えた自衛官は、過去最高の約五〇名を数えた。順調に数を伸ばしたかに見えて、その実、「制服を着て靖国には行かないように」「八月一五日には私服でも行かないように」と上官から「指導」されたり、仁王立ち（におうだ）で阻（はば）まれたりした隊員もいた。ちょうど国会では平和安全法制の審議中で、例年以上に自衛隊は神経質になっていたようだ。

だとしても、世界を見渡せば、戦没者の慰霊に軍人が制服を「着用せよ」とは言われても、「するな」と言われる国などそうそうあるまい。憲法九条に起因するのだろうが、いつまでもこんないびつな国のままでは、先人たちに顔向けできないばかりか、次世代にも不健全な精神的負担を負わせ続けることになる。そうしたくなければ、勇気を持って自ら新しい時代を切り拓（ひら）いていくしかない。

もはや、かつてのように自衛官が税金泥棒呼ばわりされる時代ではなくなった。東日本大震災後に私が宮城県で取材した女性は「あの緑色を見るだけで安心する」と語った。自衛隊も過度な自己規制の呪縛（じゅばく）から自らを解き放っていくべきであろう。

原口曹長は、靖国神社の境内が陸海空の制服自衛官であふれる日を切望しているという。それはまた靖国に祀られる英霊が心待ちにしていることでもあるだろう。組織の圧力に屈せず信念を貫いた自衛官に敬意を抱きつつ、彼らが誰はばかることなく靖国に詣でられる

毎月、制服を着て靖国神社の清掃奉仕を行う「みたま奉仕会」の自衛官たち

世をつくるべく、われわれ国民も力を尽くさなければと思うのだ。

さらに言えば、英霊がなにをおいても待ちわびているのは、昭和五〇（一九七五）年を最後に途絶えている天皇陛下による御親拝であろう。その道筋をつけるためにも、まずは自衛隊の最高指揮官である首相の参拝を切に望むし、その先に、天皇と「現代の防人（さきもり）」である自衛隊が本来の絆（きずな）を取り戻すことを願わずにはいられない。

第六章　一木一草にも神が宿るという自然観の継承

(1) お米作りで感じた国を守ることの本質

アンチ自衛隊だった私が国を守ることに目覚めたひとつの大きなきっかけは、ライフワークとしてそもそも取り組んでいた自然環境に関わる活動を通じて訪れた。

二〇代も後半、実家のある埼玉県所沢（ところざわ）市の狭山（さやま）丘陵の一角で、ジョギングの途中に雰囲気のいい田んぼを見つけた。相続税対策などで売られてしまう狭山丘陵の森を、ナショナル・トラストでお金を出し合って購入し、里山として残す活動をしている「トトロのふるさと財団」（現・トトロのふるさと基金）の有志が、休耕田を復活させて有機栽培で米を作っている田んぼだとわかり、私も活動に参加させてもらうようになった。

小学生時代、父の転勤の関係で奈良県奈良市で育った私は、授業の一環として田植えや稲刈りを経験していた。住んでいた新興住宅地も周囲が田んぼだらけだったので、なんとなく米作りというものを知った気になっていたのだが、籾振（もみふ）りや苗（なえ）取り、山の落ち葉を掻（か）

いての堆肥作りなどを初体験し、なにも知らなかったことがすぐわかった。

そんなある日、指導役の農家のおじいちゃんが「今日は溜め池の管理作業をします」という。管理って何だろうと思いながら、田んぼから二百メートルほど小川を遡った森の中に入っていくと、そこに溜め池があった。そこで「木を伐ります」と言われて、仰天した。「狭山丘陵の自然を守りたくて活動に参加しているのに、木を伐ったら自然破壊じゃないの⁉」と思ったのだ。もちろん、やみくもに伐るわけではない。池に差し掛かっている幹や枝だけを伐る。なぜなら、それを放っておくと落ち葉がどんどん池に堆積して、水が溜まらなくなる。水が溜まらないと米が育てられなくなる。米が育てられないと、極論をいえば、人間は生きていけなくなるということで、必要最小限を伐らせてもらうと聞き、なるほどと思った。

その直後、目の前で繰り広げられた光景は、私の人生の中でも忘れられないものになった。指南役のおじいちゃんが、伐る木の前に、米・塩・酒を供え、跪き、手を合わせて「命を頂きます。ありがとうございます」と感謝の祈りを捧げたのだ。おじいちゃんの背中から後光が差しているように思え、雷に打たれたような衝撃と共に何かが繋がった。これだ、と思った。これこそが、私たち日本人が伝統的に受け継いできた自然観だったのだ。

私たちの命を繋ぐために己の命を与えてくれる自然に感謝と畏敬の念を抱きながら、日本人は自然と向き合ってきた。だからこそ、科学技術が進んだ現代でも、緑豊かな国土で、山の幸、海の幸を頂くことができる。自然を征服対象として森を切り拓き、文明を築いてきた国々とは対照的だ。

それにしても、こんな根源的なことに、なぜいい年になるまで気づかなかったのだろう。自分なりに答えを探る中で、日本には、ふたつの大きな転機があったように思う。明治維新後の西洋近代化と戦後の高度経済成長期。たくさん作って、たくさん買って、たくさん使うことが、いいこと、豊かであること、という欧米の価値観が流入し、本来の日本人が抱いていた「もったいない」という価値観が、どこか古臭いような、前時代的なにおいを感じてしまうような受け止め方をされるようになってしまったのではないか。私自身、恥ずかしながら告白すれば、家族以外の人と食事をする際、食事を残すのを「もったいない」という一言が、気恥ずかしくて言えなかったことが幾度もある。でも、本来私たちが受け継いできた価値観では、お米一粒でさえ粗末にするのは「もったいない」「罰(ばち)当たりなこと」であったはずだ。

そして思った。それまでの私は、国を守ると言えば、国土や国民という形あるものを守ることとしてしか考えていなかった。が、もっと本質的には、その国の人が先祖から連綿と受け継いできた文化や価値観、自然観、ひいては自然そのもの、ちょっとカッコつけた言い方をすればアイデンティティを受け継いでいくことなのではないかと。そう思考が繋がったとき、「大事だ、国を守ることって」という思いが、初めて心の底から湧き上がってきたのだった。

(2)「柱」の主は誰か?――宮大工の棟梁が教えてくれたこと

「何者か」の視線を強烈に感じた。重厚感たっぷりの黒い梁が薄闇に紛れる築一八〇年の古民家で、神棚のある部屋に入ったときのこと。「ここ、何か出ませんか? 座敷童とか」。そんな言葉が思わず口をついた。

圧迫感にも似た「何者かに見られている感」は、子供の頃、しばしば訪れていた亡き祖父母宅の仏間でも覚えがある。柱時計が時を告げる部屋で遺影に見下ろされると、なんともいえない畏怖の念を感じたものだ。

屋敷の主は、宮大工の修行を経て古民家工房の代表を務める髙橋義智さん。構造材に金属を使わない伝統的な宮大工の工法で家を新築したり、古民家や寺社を再生したりしている。

過日、髙橋さんの建築現場で、まだ壁のない骨組みと屋根だけの状態の住宅を見せてもらった。梁という逞しい腕を広げ、重厚な屋根を一身に支えて堂々と立つ大黒柱を目の当たりにしたら、柱への尊敬の念が湧き上がってきた。それを思わず口に出したら、「一家の大黒柱もそれぐらい尊敬されてほしいんですけどね」と苦笑する髙橋さんに、ちょっと切なくなったりもしたが、続いて、こんな質問をされた。

「柱という字は、木の主と書きますよね。木の主って誰か、わかりますか?」

とっさに答えが思い浮かばなかった私に、

「木の主は、神様なんです」

と、髙橋さん。神様を「何柱」と数えるのもそういうことだったのかと合点がいった。

別の現場では、先祖が植えた木を自ら伐採し大黒柱にするという若い施主から、「ご先祖様に見守られて暮らせる安心感があります」と聞き、心が動いた。なんて幸せで健全なご先祖との関係なんだろう。神様なのかご先祖様なのか、そもそも日本では両者にほとんど境もないのだろうが、畏怖の念を覚える「何者か」に見守られながら生まれ、看取られ、生活を営んできたのが、古来日本の家屋、家族であったのにちがいない。

それはまた祖先との連帯感や、そこから来る責任感、道徳、力の源でもあり、ひいては日本という国の力の源泉でもあったはずだ。だからこそGHQは、個人の権利を尊重するかのような美辞麗句(びじれいく)で巧妙にカムフラージュしてこれを解体し、核家族化を進めた。髙橋さんによれば、例えば台所は通常北側に造られる。それをあたかも寒いところで水仕事をしなければならない女性が差別されてきたかのように言うが、実のところ、冷蔵庫もなかった時代、食品を衛生的に管理するためには北側にあるのが最適だったというのが真の理由だという。大黒柱が消えるとともに、祖先との繋がりは薄れ、家長の存在感も色あせ、個人がそれぞれ浮遊する社会になってしまったのではないだろうか。

また、伝統的な工法を用いて木と土で造られた家は、建物自体が呼吸するかのように温度・湿度を調節し、そこに暮らす者たちを肉体的にも精神的にも安らがせる。驚くべきことに、地震の際には多段階的に壊れ、いざ火事となれば木が燃え尽きた最終段階では瓦(かわら)とその下の土の重みで屋根が落ち沈火するという。

しかしながら、こうした大黒柱を持つ家は、近年急激に数を減らしてしまった。一見木造でも、決められたサイズの材料を釘(くぎ)で留めるだけのツーバイフォーは似て非なるものだ。

大工の力量も必要とされず、こうした建築方法が主流になれば、腕のいい大工は不要となる。

大工に限らず、伝統文化を担ってきた腕利き職人ほど、後継者がいないケースが多いのが、残念ながら、日本の実状だ。これはつまり、あと一〇年、二〇年もすれば、受け継がれてきた伝統の糸がぷつりと切れることを意味する。

これで、よいのだろうか。

西欧建築は石の文化だ。象徴的なパルテノン神殿は、紀元前に造られたものが現存しているという意味では、確かに希少で貴重だ。しかし、パルテノン神殿は、もはや歴史的遺産であり、廃墟だ。対照的に、伊勢神宮は二〇年ごとに新しくなりながら、太古の姿を今に伝え、しかも、活きた建築として神様を宿らせ続けている。

髙橋さんは言う。「神殿・神社は神々の住まう場所だからこそ、子々孫々に伝え残していく義務があるのではないでしょうか。だからこそ木造建築を受け継いでいくべきなのでは」。

たかが建築と侮（あなど）るなかれ。そこに、戦後日本が失ったものと、取り戻すべきものが凝縮されていることを、「何者か」の視線は、熱っぽく語りかけてきたように思えた。

（3）「常若（とこわか）」の思想を世界へ――宗像国際環境会議

平成二九（二〇一七）年七月に世界文化遺産に決定し、改めて脚光を浴びた「神宿る島」宗像（むなかた）・沖ノ島と関連遺産群。宗像の象徴的な存在である宗像大社は、神話に登場する日本最古の神社の一つで、沖津宮、中津宮、辺津（へつ）宮という三宮の総称だ。それぞれに御祭神として、天照大神（あまてらすおおみかみ）が須佐之男命（すさのおのみこと）の剣を噛み砕き、息を吹きかけたときに生まれた三女神、田心姫神（たごりひめのかみ）、湍津姫神（たぎつひめのかみ）、市杵島姫神（いちきしまひめのかみ）が祀られている。本土にあるのが辺津宮で、中津宮はそこから約一〇キロメートル沖合の大島に、沖津宮は大島からさらに約五〇キロメートル沖の玄界灘（げんかいなだ）に浮かぶ沖ノ島に所在している。沖ノ島には、掟（おきて）によって、今なお古代の祭祀跡が手つかずのまま残されており、神職以外が渡ることは許されていない。

『日本書紀』には、天照大神から宗像三女神への「歴代天皇を助けなさい。そうすれば、歴代天皇があなたたちを祭るでしょう」という神勅が残されている。宗像は、大陸との交流が盛んだった古代から日本の玄関口であり、いわば「元祖国際都市」であった。海外との外交、貿易、国防的な機能を果たせば、天皇が祭るとされたもので、この神勅に基づき、歴代天皇の命で大和朝廷から最高の品々が宗像の神々に捧げられたことが、沖ノ島から出土した約八万点の国宝によっても裏付けられている。

沖ノ島の祭祀跡は、現在のように神社に社殿が造られる以前のもので、古の時代、神の依代は岩（磐座）や木（神籬）であった。このような自然崇拝はかつては世界各地で行われていたが、沖ノ島ほどの規模で磐座が現存するのは極めて珍しい。

このようにして自然に対する畏怖・畏敬の念が色濃く受け継がれている宗像で、国際環境会議が開催されるようになったのには、宿命的なものを感じなくもない。平成二六（二〇一四）年以来、毎年八月下旬の三日間開催される（令和二年はコロナの影響で一〇月に実施）宗像国際環境百人会議では、玄界灘の海水温の上昇により沿岸部に広がる磯焼け、漂着ゴミの問題を中心に「海の鎮守の森」構想を掲げ、海の再生に取り組むとともに、近年の急激な海の変化への提言や情報を国内外に発信している。

平成二八年から私は総合司会を務めているが、会議では例年、温暖化等の影響で藻場が減る「磯焼け」の進行、魚の減少や魚種の変化など、変わりゆく海の実態が地元漁師や海女、研究者、ジャーナリストらから報告され、実状を改善し、子々孫々まで持続できる環境を残すためにはどうしたらよいという多角的な議論と実践活動がなされている。令和元

（二〇一九）年の報告によると、福岡県の漁獲高は、ここ十年で半減しているという。会議では、水中写真家・中村征夫（いくお）さん撮影の沖ノ島の海中映像も上映された。巨岩がたくさんあり、それが磐座として祀られる原始宗教の形を残す沖ノ島だが、海中にも多くの巨岩が見られ、岩陰にはイサキなどが群れをなしている。色とりどりのソフトコーラルとも相まって、あたかも竜宮城（りゅうぐうじょう）のような光景だ。しかし、五〇年前から宗像の海を知る宗像大社の葦津（あしづ）敬之（たかゆき）宮司（ぐうじ）によれば、昔に比べると、魚も海藻もずいぶん減ったという。生態系が乱れた原因は、乱獲による水産資源の減少、海水温上昇による磯焼け、海ゴミなど多岐にわたる。

本会議の最大の特徴は、「Think globally, Act locally」（地球規模で考え、足元から行動する）を理念に、中日に竹漁礁（たけぎょしょう）づくりや漂着ゴミ清掃といったフィールドワークが行われることだろう。

福岡県立水産高校の生徒の指導による竹漁礁づくりでは、増えすぎて森や里でやっかいものになっている竹を伐採して漁礁をつくり、磯焼けで海藻がなくなった海に沈め、イカや魚を呼び戻す。名付けて、「海の鎮守の森プロジェクト」。

海が好き、魚が好きで水産高校に入った生徒たち。その海が、海水温の上昇や護岸工事の影響などによって海藻が生えなくなる「磯焼け」を起こし、魚も減少していた。豊かな海は、豊かな山の栄養分が流れ込むことによって育まれる。地域貢献の方法を模索していた中で、「海を元気にしたければ、まず山を元気に」と、竹の侵入によって荒れた山を再生すべく竹藪（たけやぶ）の整備を始めた。そこで伐採した竹を有効活用しようと、魚の棲み処（すみか）となる漁礁づくりを思いついたという。

かつてはさまざまな用途で活用されていた竹だが、時代の流れとともに使われなくなり、竹林が放置された結果、我が物顔で竹が山に入り込むようになってしまった。読者のみなさんの身の回りにも、そのような風景があるのではないだろうか。そんな竹が「森の人」や「里の人」を悩ませる一方、「海の人」は磯焼けに警鐘を鳴らす。双方の声を聞いてきた私からすると、まさに陸と海の課題を同時に解決する一石二鳥の画期的な取り組みだ。興味津々で参加した。

漁協で班に分かれると、まずは作戦会議。留意するように言われたのが、「魚の気持ちになって設計してください」という一言。ラフな設計図が描けたら、二〇メートルほどある竹を丸ごと一本運び、手ノコで枝を落とし、適当な長さに切り、専用の器具で割（さ）く。それをアーチ状に撓（しな）らせながら、土台となる鉄分の入った重石（おもし）の枠に結び付けていく。「そろそろ折れちゃうんじゃないかな」とドキドキしながら力を加えていくのだが、半端ではない竹の撓りっぷりに目を見張った。最後に、葉のついた枝を束ねて装着。これが、魚やイカたちの隠れ家や産卵場所になる、はずだ。

二時間ほど汗を流し、完成した竹漁礁を見て思った。うーん、「私がイカだったら、ここに卵を産みたい！」。それを漁船で沖に運び、海中に投入。一週間後、水産高校の先生が潜ったら、早くも「マハタが居心地良さそうに群れていた」というではないか！　ささやかな取り組みかもしれない。が、だからこそ、その気になれば、津々浦々で実践可能なので、こんな「小さくともきらりと光る地方発の取り組み」が全国に広がり、豊穣の海を取り戻すきっかけになることを願ってやまない。

漂着ゴミ清掃も一度でも行えば、安易に使用したプラスチックが、ゴミとなって海に流れ出た時、いかに回収が困難か体感できる。平成二九年は大島・沖津宮遥拝所での漂着ゴミ清掃を行った。

「見えたー！」。思わず、歓声が上がる。灰白色の空と灰色の海を隔てる水平線上に、鈍色の島影が確かに目に入った。大島の五〇キロメートル先にある沖ノ島は、女人禁制で一生近づけない上に、稀にしか見ることができないと聞いていただけに、感慨は大きかった。

海風に吹かれながら遥拝を済ませて石浜に降り、作業開始。ペットボトルなどプラスチック系のゴミが多い。風化して細かくなったマイクロプラスチックで世界の海は「プラスチックのスープ」のようになっているという衝撃的な報告を前日に受けただけに、そうなる前に回収せねばとの思いが募るし、そもそもこのようなゴミが出ない社会システムを構築しなければならないと強く思う。目の前の利便性に目を奪われ、われわれはなんの罪の意識もなく、拠(よ)って立つ大地や海を汚し続けている。このしっぺ返しは、必ず、来る。

一方で、元来日本人は恵みを与えてくれる海に神を感じ、やはり感謝と畏敬の念を抱きながら付き合ってきた。日本人にとって、古来、自然そのものが八百万の神々が満ち満ちている場であり、人間もまたその一部であった。令和元（二〇一九）年の会議のテーマは、「常若(とこわか)」。「常若」とは、伊勢神宮の式年遷宮(しきねんせんぐう)に象徴されるように、いつまでも若々しく、持続可能なことだ。二〇一五年の国連総会で示されたSDGs(エスディジーズ)（持続可能な開発目標）に向けて世界が動き出したが、「海の豊かさを守ろう」「陸の豊かさも守ろう」をはじめ、その多くは日本人からすれば元来当たり前のように大切にしてきたことだ。目先の経済効率への過度な依存を反省し、日本人が誇りをもって古来の価値観、自然観を取り戻し、それを世界に発信することこそ、世界を常若へと導く鍵(かぎ)になるのではないだろうか。

第七章　麻あって日本あり――大麻の真実

（1）日本古来の神事と衣食住に欠かせなかった大麻

今日も新聞に「大麻摘発　最多五〇〇〇人超、昨年若年層拡大、二〇代半数」の見出しが躍っている。これを見て、「大麻」すなわち「違法薬物」だと思うな、と言うほうが無理な話であろう。しかし、元来日本人にとって大麻は米と並ぶくらい大切な植物であった。

大麻には、花穂と葉にＴＨＣ（テトラヒドロカンナビノール）という成分が含まれていて、これが幻覚作用、記憶への影響、学習能力の低下、知覚の変化などを引き起こすため、違法薬物という印象が定着してしまっている。しかし、『大麻という農作物』（大麻博物館著）によれば、化学的に見ると大麻は「薬用型」「中間型」「繊維型」に分けられ、薬用型にはＴＨＣが多く含まれているため向精神作用をもたらすが、繊維型は含有量が少なく、その作用がほとんどない。古来日本に生えていた大麻は繊維型であったため、「違法薬物」として用いる習慣がそもそも存在していなかった。

　種を蒔いてから僅か九〇日間で二～四メートルにも成長し、七月の声を聞くとともに収穫を迎える麻。水に強く、しなやかなことから、布団、茅葺屋根材、凧糸、太鼓の皮を張る糸、鼻緒、綱、釣り糸、漁網、弓弦、蚊帳、畳の経糸、漆喰壁、打ち上げ花火や線香花火の火薬にまで使われてきた。繊維として以外にも、麻の実は現在も七味唐辛子に使われている。

　もともと日本に大麻という言葉はなく、「お」などと呼んでいたが、明治以降入ってきた外来種である亜麻（リネン）や黄麻（ジュート）等と区別するため、在来の種を大麻と呼ぶようになったといわれている。

　栃木県鹿沼市は、日本最大の麻の産地だ。足尾山麓一帯で生産される大麻は、「野州麻」の名で親しまれてきた。平成二八（二〇一六）年七月、代々家業として野州麻栽培を行ってきた農家の七代目・大森由久さんを訪ねた。需要の減少に伴って麻畑が消えていく中、大森さんの畑では、六名の研修生が額に汗してキビキビと動き回っていた。「せーの！」と息を合わせ、まっすぐ三メートルほどに伸びた麻を、二人一組で束にして引き抜いていく。鮮やかな緑が目に眩しい。急に揺さぶられて慌てふためく虫たちをめがけて、無数の

野州麻の収穫

トンボが飛び交っている。

大森さんによれば、土葬だった時代、床掘りさんと呼ばれた墓掘りは棺おけを墓穴に下ろすのに麻紐を用い、その紐は、出産を控えた女性に受け継がれて腹帯となり、へその緒は麻糸で縛られ、お七夜参りには精麻を奉納したという。赤ちゃんを麻の葉文様の産着にくるみ、「お食い初め」では、麻の茎でできたオガラを麻糸で結んだ箸で食べさせるマネをし、排泄がきちんと行われるように願いを込めて「雪隠参り」でその箸をトイレに入れた。麻はまさに「生命のバトン」のような存在でもあったのだ。

さらに核心的なのは、伊勢神宮のお札を「神宮大麻」と呼ぶことに象徴されるように、聖なる力が宿る植物として神事に使われてきたことだ。神社の七五三縄や鈴緒をはじめ、神に祈る時に捧げ、また祓いに用いる幣にも麻が結ばれているし、神職や巫女さんの髪を結ぶのにも麻が使われる。意外なところでは、大相撲の横綱もそうで、横綱白鵬の綱には、大森さんらが奉納した野州麻が使われているという。

歴史的にも、一万年以上前の縄文時代前期の鳥浜貝塚遺跡（福井県若狭町）から大麻の縄が出土しており、織物としても静岡県の登呂遺跡から織り機や大麻布が確認されている。御代替わりに伴って行われる大嘗祭（天皇が即位後初めて行う新嘗祭のこと。新嘗祭とは、その年の収穫への感謝を込めて天皇が神々に新穀を奉ると同時に、自らも召し上がる神事）では、特定の地域から海の幸、山の幸、容器類、神衣（かんみそ）など供え物がなされることが定められている。このうち神衣には、三河国（みかわのくに）（愛知）からの繒服（にぎたえ）（絹布）と阿波国（あわのくに）（徳島）からの麁服（あらたえ）（大麻布）がある。大嘗祭当日、麁服は繒服とともに第一の神座に供えられる。毎年の宮中祭祀でも麻織物は欠かせない。

また、穢（けが）れや罪を祓う祝詞（のりと）のひとつである大祓詞（おおはらえのことば）には、以下のような一節が出てくる。「天（あま）つ菅麻（すがそ）を本刈（もとか）り断（た）ち　末刈（すえか）り切りて　八針（やはり）に取（と）り辟（さ）きて」。「清らかな麻の根元と先端を刈り切り、真ん中のよいところを取って針のように細かく裂いて」大幣（おおぬさ）に使うという意味だ。大麻の茎から剝がした皮を磨いた「精麻」は黄金色に輝き、息をのむほど美しく清らかだ。その聖なる力にあやかって、身を清浄にして神様の前に出よということであろう。余談だが、私はときどき川や滝で禊行（みそぎぎょう）を行うが、その際にこの「大祓詞」を唱える。その折にこの一節に触れると、眼前に「麻の本と末を刈り切る光景」が浮かんで神話の世界と現代が繋がっていることを実感するとともに、そこにも麻の「霊草（れいそう）」としての力を感じる。

このように特別な力が宿る植物だからこそ、子供の名前にも多く使われてきたことは想像に難くない。麻子、麻美、麻実、麻由、麻里、麻弥、麻耶、麻紀、宅麻など枚挙に暇がないが、すくすくとまっすぐに成長し、強い繊維が取れることから、子供にも心身ともにまっすぐに丈夫に育ってほしいと、親は切なる願いを名前に込めたに違いない。同様に、子供に麻の葉文様の産着を着せる風習も、健やかな成長を願ってのことであろう。近年、『鬼滅の刃』の大ヒットで、主人公・竈門炭治郎の妹・禰豆子が着るピンク色の麻の葉文様をよく見かけるようになった。喜ばしいことだが、同時に、鬼滅ファンみんなが大麻の真実を知ってくれたらなお嬉しいのにと思っている。

童謡「かあさんの歌」（作詞作曲・窪田聡）の二番では「かあさんは　麻糸つむぐ　一日つむぐ」と歌われていることからもわかるように、かつては、大麻布づくりは家庭でも日常的に行われていた。戦後のある時期までは農村の娘であれば誰でも麻布を作ることができ、一年に布四反を織ることができて初めて「一人前の女性」と見なされたという。おもしろいことに、績いだ麻糸の一部は、手で巻いて「綜麻」という糸巻きにし、一つ二銭くらいで売ってお小遣いにしていたようで、これが「ヘソクリ」の語源だという。

それだけ長く日本人の営みとともにあった大麻を栽培する農家は、戦後の昭和二九（一九五四）年時点でも全国三七〇〇〇軒あった。それが現在、全国でわずか三十数軒にまで数を減らしてしまっている。一体なにがあったのだろうか。

(2)「種子を含めて本植物を絶滅せよ!」――GHQによる指令

世界的な大麻への規制は、一九一二年、オランダのハーグで開催された第一回国際阿片(アヘン)会議でアメリカ代表が向精神作用のある「インド大麻」について問題提起したことに始まった。一九二五年、スイスのジュネーブで行われた第二回国際阿片会議ではエジプト代表が自国でのインド大麻乱用を訴え、万国阿片条約が締結されたことでインド大麻が規制されるようになった。

これを受けて日本でも一九三〇年「麻薬取締規則(内務省令一七号)」が制定され、モルヒネ類、コデイン類、コカイン、インド大麻草及びその樹脂が取締り対象になったが、日本の農作物としての大麻とインド大麻は別物であったため国内の大麻は規制されなかった。

当時、アメリカは大麻を厳しく取り締まっていたが、大東亜戦争が始まると方針を一変させる。日本の東南アジア進出に伴って、マニラ麻やジュート麻の供給が絶たれたことから「GROW HEMP FOR THE WAR(戦争のために大麻を栽培しよう)」というチラシを配布するなどして大麻栽培を奨励するようになった。大麻栽培農家は、戦争に貢献しているとして徴兵を免れたという。

日本でも戦時中、軍需用として麻の栽培が奨励されたが、昭和二〇（一九四五）年、敗戦に伴ってGHQの占領下に置かれると、同年一〇月、GHQは「日本に於ける麻薬製品および記録の管理に関する件」という覚書（メモランダム）を発行した。麻薬の定義は「アヘン、コカイン、モルヒネ、ヘロイン、マリファナ、それらの種子と草木、いかなる形であれそれらから派生したあらゆる薬物、あらゆる化合物あるいは製剤を含む」とされた。当時の厚生省はこれに基づき、同年一一月、厚生省令第四六号「麻薬原料植物ノ栽培、麻薬ノ製造、輸入及輸出禁止ニ関スル件」を交付したが、日本人はマリファナとはインド大麻のことだと考え、それまで通りに栽培を続けた。

ところが、翌年、京都で栽培されていた大麻が発見され、四名の民間人がGHQ命令違反で検挙されてしまう。京都府は麻薬採取の目的などないことを訴え、インド大麻ではないことを証明しようとしたが、関係者の努力は実らず、次のような命令が下った。

「栽培の目的如何（いかん）にかかわらず、また麻薬含有の多少を問わず、その栽培を禁止し、種子を含めて本植物を絶滅せよ」。

日本人にとっては、たまったものではない。前述のように衣食住のすべてから神事に至るまで欠かせない植物である麻の栽培が全面禁止されてしまっては日本人の生活や文化が成り立たなくなるし、専業の大麻農家も大打撃を受ける。国を挙げてなんとか食い止めようと、当時の農林省や厚生省がＧＨＱに対する説明と折衝を繰り返し行った。

その結果、昭和二二（一九四七）年二月、「繊維の採取を目的とする大麻の栽培に関する件」という覚書が出され、一定の制約条件の下で大麻栽培が許可された。制約条件とは、栽培許可面積を全国で五〇〇〇ヘクタールとし、栽培許可県を青森、岩手、福島、栃木、群馬、新潟、長野、島根、広島、熊本、大分、宮崎の一二県に限るというものだ。このときに制定されたのが、日本の大麻を規制する厚生・農林省令第一号「大麻取締規則」であった。

そして、翌昭和二三（一九四八）年七月、大麻取締法と麻薬取締法が同時に制定された。前者は農作物としての大麻、後者は医師などが取り扱う麻薬類として分けるために取られた措置である。このように大麻の取り扱いを規制する法律と思われがちな大麻取締法だが、実際は、全面禁止を回避し、条件付きながら栽培を継続することを可能にした、つまり大麻栽培を保護した法律だった。

大麻取締法で「大麻取扱者」として大麻の所持、栽培、譲り受け、譲り渡し、または研究のための使用が許可されるのは、都道府県知事の免許を受けた「大麻栽培者」と「大麻研究者」のみだ。免許は一年更新で、都道府県がそれぞれ独自の基準を設けている。

大麻取締法制定時の免許取得者数は、二三九〇二人だったが、戦後の復興需要に伴い、昭和二九（一九五四）年には三七三一三人にまで増えた。主な利用法は、下駄の芯縄、畳の経糸、漁網等だった。しかし、高度経済成長期の生活スタイルの変化を背景に、この年を境にして免許取得者は急激に減少に転じていく。戦前一万ヘクタール以上だった栽培面積が、現在は八ヘクタール以下にまで減った。残る生産農家も三四人、高齢化と後継者不足で存続が危ぶまれている。現在、国産麻の五〇％以上が栃木県産、神事で使用するものに限って言えば九〇％以上が栃木県産だ。

これまで見てきたように、麻は、日本人の生活にも精神文化にも欠かせない存在であった。身近に重宝し、神聖な力が宿るとされ、軍需品としても必要不可欠なものだった。世界的な危険薬物禁止の流れがあったとはいえ、向精神作用のほとんどない日本古来の大麻まで「種子を含めて本植物を絶滅せよ」とまでＧＨＱが目の敵にしたのは、「日本人の強さを養う源のひとつ」だと見なしたからと考えるのは、深読みし過ぎだろうか。「金輪際敵にしたくない」と思った日本を弱体化させるべく、「大麻＝危険薬物」という短絡的な大義名分を掲げて、日本が強くなる要素の芽のひとつを摘もうとしたのではないか。私には、そう思えるのだ。しかし、その後の日本の歩みは、経済効率優先で、この流れを自ら加速させたように見える。国産の大麻が高いからと中国から輸入した大麻、もしくは化学繊維で作られた七五三縄に、果たして神は宿るのだろうか。

(3) 日本古来の麻が「指定外繊維」?

現代では麻と聞けば、風通しの良い夏用の衣類の印象を持つ人が多いのではないだろうか。ところが、日本古来の麻を素材としても、衣類を買うときに確認する品質表示には「麻」と表示されていないと知ったら、多くの人は目が点になるに違いない。しかし、事実、そうなのだ。

昭和三七(一九六二)年に制定された家庭用品品質表示法で「麻」とされるのは、「海外産のリネン(亜麻)とラミー(苧麻)に限る」と定義された。そのため、日本古来の麻は「指定外繊維(大麻)」などと表示されている。古来の麻、つまり大麻は、現代の日本で「麻」と表示すると法律違反になってしまうのだから、なんというおかしな話だろう。

そもそもこの法律は消費者の利益を保護するために存在しているのだから、消費者庁にはぜひ「麻」表示に「大麻」を加えるよう改正を行ってもらいたい。

古来の大麻には、次のような特徴がある。①柔らかい　②丈夫である　③速乾性があり、蒸れない　④夏涼しく、冬温かい。このように優れた自然素材である大麻を、再び「麻」として日々の生活に取り入れたいものである。

また、大麻取締法では「大麻」を「葉」と「花穂」と定義して、その所持を禁止している。長い間農作物として利用されてきた「茎」や「種子」は取り締まりの対象外であるにもかかわらず、すべてが「大麻」として十把一絡げに悪者にされ、市民権を失っているようにさえ感じられる。

こうした不当な扱いを世に問い、正しい理解を広げるため、栃木県那須町に平成一三（二〇〇一）年、大麻博物館が開館した。入り口に堂々と「大麻博物館」と大書されていることからも、本来「大麻」そのものが違法な存在ではないことが一目瞭然だ。

高安淳一館長は「有用な農作物」であり「日本人のアイデンティティと深い繋がりを持つ植物」としての「大麻」を復権すべく、精力的に活動を行っている。大麻の繊維から糸を績ぐ「糸績み」を経験させて頂いたが、繊維を見ただけで植物として生えていたときの

大麻博物館で高安淳一館長と

天地の向きがわかるなど感動的であった。また、そもそも糸は買うものであって自ら績ぐなど考えてみたこともなかった私だったが、ほんの半世紀ほど前までは農村部の女性ならそれこそ一人前の女性の証として当たり前のように糸を産み出していたと知り、ここでも僅かながら先人たちとの繋がりを感じられたようにも思えた。高安館長は「麻糸産み養成講座」を開催して確かな技術を身に付けた「よりひめ」たちを数多く輩出し、彼女たちが績んだ糸で織った麻織物を作るなど、地道ながら確かに大麻復権の輪を広げている。その活動ぶりには頭が下がる。

同館から発行されている書籍『大麻という農作物』には「日本人の営みを支えてきた農作物」がなぜ「違法な薬物」というイメージになっていったか、全国各地でかつて、どれほど多用されていたかが説かれ、目を開かれる。多くの方に、ご一読いただきたい。

（4）神事に国産の大麻を——「伊勢麻（いせあさ）」振興協会の挑戦

平成二九（二〇一七）年、三重県の神社関係者らで構成される一般社団法人「伊勢麻」振興協会（代表理事・小串和夫皇學館理事長）が「国産大麻で伝統的な神事を継承する」ことを目的に申請していた栽培を、三重県が不許可にした。不許可になるのは、これが二度目だ。外国産などで賄えることや、盗難防止対策の不十分が理由だという。盗難対策なら指導により改善できるし、神事用の麻を外国産でよしとするのはいかがなものか。

　と思っていたら、翌平成三〇（二〇一八）年、ついに許可が下りた。生産農家は、栃木の大森由久さんのもとで二年間修業を積んだ谷川原健さん（株式会社伊勢麻・代表取締役社長）だ。取材を申し込んだところ、県の規制が厳しく栽培している畑は撮影できないという。収穫・乾燥後の大麻を発酵させ、精麻を生産する過程を取材させてもらった。乾燥させた茎を束ねて、大麻の加工の過程でできる繊維カス「麻アカ」を真水に入れて作った発酵液に漬けた後、二、三日寝かせて発酵させる床回し、床ぶせ。積み重ねた束の山に毛布などをかけて厳密に温度管理をするさまは、まるで子供を大切にお守りしているようだ。発酵が進み過ぎると腐ってしまい、足りないとうまく皮が剝げない。実際、「正面から真摯に向き合わないと応えてくれない」と谷川原さんは言う。発酵がうまくいけば、出来が多少悪くても挽回できるところが、他の野菜などとの大きな違いだ。

　しかし、その見極めと調整には経験と勘が大きく物を言う。発酵で適度に緩んだ表皮を一気に剝がす「麻剝ぎ」によって、出来不出来がわかる。薄くてしなやかなほど良質な精麻になる。麻ひき機を用いて不純物を取り除く「麻挽き」と、室内の竿にかけて乾燥させる「麻掛け」は奥さんとの共同作業だ。そうやって、銀白もしくは黄金色の艶を持つ美しい精麻が出来上がる。

　表皮を剝がれて残った芯「麻ガラ」は、本来実にさまざまな利用価値がある。例えば、軽くて丈夫なオガラは、屋根を見上げた際にきれいな仕上がりになるように茅葺き屋根の一番下の層にも使われるし、お祭り用の松明にもなる。お盆の迎え火・送り火の際にご先祖さまの霊を早くお迎えしたいという思いから、足の速い馬に見立てたキュウリや、名残り惜しい思いから足の遅い牛に見立てたナスの足にも、オガラが使われている。麻炭は打ち上げ花火の助燃剤としても欠かせない。ところが、そのオガラを焼却処分しなければならないというから耳を疑った。三重県が出した免許は、「精麻の神事利用。副産物は使用不可」が条件なのだ。焼却処分するくらいなのだから、薬理効果がありませんと証明しているようなものなのに、なんと理不尽なことだろう。

　取材のための撮影が不可な畑には、二四時間監視の防犯カメラや高さ二メートル超の堅固な柵の設置が義務付けられている。何台ものカメラの映像をすべてチェックし、人が写っていたら、人物を特定して報告しなければならない。「警備会社なんだか農家なんだか

丹精込めて作られた精麻

わからない」「映っているのは、ほとんど鹿や猪(いのしし)ですけど」と、谷川原さんは苦笑した。

そうやって精魂込めて谷川原さんが生産した精麻が、平成三〇（二〇一八）年一二月一四日、椿大神社(つばきおおかみやしろ)（三重県鈴鹿市）と多度(たど)大社（桑名市）に奉納された。神事には元来、地元で獲れた魚や野菜をお供えする。お祀りに使う道具などもできれば、地元のものであることが望ましい。少量とはいえ、七三年ぶりに地元三重県産の大麻が使われたことは、伝統復活に向けての大きな一歩であろう。

とはいえ、「農家の方が生活できるようにならなければ永続しない」と「伊勢麻」振興協会理事で皇學館大学の新田均(ひとし)教授は言う。「敗戦によって失われたことすら忘れられているもの。目に見える文化には関心が行くが、素材レベルの伝統文化には無関心だったのでは」「占領政策の結果として旧宮家が臣籍降下させられ男系男子がどんどん減って悠仁親王殿下おひとりになったことと同じこと。日本の伝統そのもの、伝統を支えている素材が、ある意味人工的に消されて行っている」という新田教授の言葉に、ドキッとさせられた。

第八章　古事記の時代から続く日本の捕鯨

(1)「一頭捕れれば七浦潤う」

日本の食卓から鯨が消えて久しい。一定の年代以上の人であれば、学校給食で食べていた竜田揚げや大和煮を懐かしく思い出す人も多いだろう。地域によっては、現在でも給食で鯨料理が出されているところもある。しかし、概して、日本人にとっての鯨食はあまり馴染みのないものになってしまった。

昭和五七（一九八二）年、ＩＷＣ（国際捕鯨委員会）がモラトリアム（一時停止）を採択したことにより南氷洋での商業捕鯨ができなくなり、以後、調査捕鯨を細々と行うのみになった。これによって、戦後の食糧難の時代には日本人のタンパク源の六〇％を占めていたこともある鯨が、おいそれとは手の届かない高級品になってしまったのだ。

「鯨一頭捕れれば七浦潤う」という言葉がある。脂だけとって他の部位を海に捨てていた欧米人とは対照的に、日本人は縄文時代から貴重な動物性タンパク源として鯨を食し、骨や歯、ヒゲ板に至るまでさまざまな用途に活用してきた。
石川県の「真脇遺跡」や青森県の「三内丸山遺跡」から鯨類の骨が発見されており、約五〇〇〇年前の縄文時代中期にはすでに鯨漁を行っていたと考えられている。

赤身はもちろん、皮、舌、内臓、尾肉など全身のほとんどを食することができる鯨。ちなみに私の好物は、上顎と下顎の骨の間にある脂身、『伝胴』だ。口に入れると甘く、とろける。脂というと不健康なイメージを持つ人も少なくないと思うが、水温の低い海域でも活動する鯨の脂は、寒くても固まらない。牛や豚の脂は飽和脂肪酸なので冷えるとすぐ固まるが、鯨の脂は菜種油や大豆油といった植物由来と同じ不飽和脂肪酸なのだ。美味しい上に健康にもよく、まさに日本の食文化を象徴する食材のひとつと言えるかもしれない。

ヒゲや骨、歯、皮などからは、くつべら、提灯の取手、人形浄瑠璃のバネ、三味線のバチ、尺、石鹸、グリセリン、油、パイプ、印鑑、細工物、テニスラケットのガット、肥料、家畜の餌、クリーム、ゼラチン、口紅、クレヨン等々が作られ、実にさまざまな形で生活の役に立ってきた。

鯨の「ヒゲ」というのがよく誤解されているのだが、これはナマズのそれのように体の外側に生えているものではない。鯨は、ヒゲクジラとハクジラに大別され、前者には歯がなく、後者にはとがった歯がある。ナガスクジラやセミクジラ等のヒゲクジラ類は、たくさんの小魚やプランクトン類を海水と一緒に飲み込み、口の中にびっしりとある「ヒゲ」でこしとって食べている。つまり、口腔内で「ざる」のような役割を果たしているのがヒゲなのだ。正確には、歯ぐきの皮膚が爪のように硬く変化して板状になったもので、上顎の両側に櫛の歯のように一列に二〇〇～四〇〇枚もが並んでいる。この一枚一枚が、古くは侍の裃の肩の部分に張りを持たせるためにも使われていた。ヒゲクジラには、鼻の穴がふたつある。マッコウクジラ、ツチクジラなどのハクジラ類は、魚やイカを歯でとらえて食べるが、おもしろいことに、歯は下顎にしか生えていない。鼻の穴は、ひとつだ。
「鯨」という漢字は魚偏に「京」という字を書く。京は、兆の万倍、つまり大きいということを表す。これだけさまざまな用途があるうえに大きい。だからこそ、捕るのも大変だが、一頭によってもたらされる恵みも大きい。「一頭捕れれば七浦潤う」と古の人々がこぞって喜んだことは想像に難くない。

　そして、忘れてならないのが、そんな鯨たちに日本人は感謝の念を忘れなかったことだ。各地に残る鯨塚や供養碑、鯨の墓には、命を与えることによって自分たちを生かしてくれる鯨への感謝と慰霊の気持ちがよく表れている。日本人はまた、その気持ちを唄や踊り、

和歌山県太地町梶取崎のくじら供養碑。毎年４月29日にくじら供養祭が開かれている。

祭りなどの文化芸能へも発展させていった。

(2) 日本の捕鯨は残虐非道!?——映画『ザ・コーヴ』がアカデミー賞受賞

そんな日本人と鯨との関係が、いつしか歪められるようになってしまった。鯨は「ホエール・ウォッチング」の対象ではあっても、「食料」とは思えない若い世代が増えている。数年前、チャンネル桜の番組『海幸山幸の詩』で鯨の特集をすることになり、アシスタントの女性に心の準備をしてもらおうと鯨料理を出す店に誘った。すると、彼女は「えっ、鯨、食べるんですか!?」と、明らかに眉間に皺を寄せ、衝撃を隠せない様子だった。それでも、私が鯨目当てにしばしば通っている新宿区歌舞伎町の居酒屋『樽一』に連れて行き、さまざまな部位の料理を実際に味わったところ、「赤身は牛肉みたい。脂は口に入れるとトロけておいしかった」と、幸いなことに、だいぶ認識を変えてくれたようだった。

食べたことがない、馴染みがないからなんとなく食指が動かないというのであれば、まだいい。やっかいなのは、鯨食イコール残虐非道で野蛮人のすること、という印象を抱いている日本人が既に少なからず存在していることだ。おおよそ人間が口にするもので、「生き物でないもの」は存在しない。生きるということは、他の生物の命を頂いて、生かして頂く、ということでもある。そうした生き物として根源的な営みへの謙虚さと感謝の気持ちがあるからこそ、日本人は食事の前に「いただきます」と両手を合わせてきたのであろう。牛や豚を食べている人間が、鯨だけ特別扱いするのは、いかがなものか。

そもそも「鯨を食べるなんて残酷」という価値観は、欧米から流入してきたものだ。しかし、考えてみてほしい。一八五三年、ペリーが黒船四隻(せき)を率いて浦賀(うらが)に来航したのは、捕鯨船の寄港地を求めてのことであった。日本の江戸時代、すでにアメリカ、イギリス、フランスなどの国は、盛んに捕鯨を行っていた。三〇〇〜四〇〇トンの母船から手投げ銛(もり)もしくは銛銃を使って鯨を捕獲するアメリカ式捕鯨は、一八四〇〜一八六〇年にかけて最盛期を迎え、日本近海でも五〇〇隻ものアメリカ式捕鯨船が操業していた。母船の舷側(げんそく)で鯨を解体し、皮を船上の釜で煮て取った油は、灯油や機械油、マーガリンなどとして利用されていた。しかし彼らは、脂のとれる皮を剥(は)ぐと、それ以外は海に捨てていたのだ。鯨のことを「海に浮かぶ油の樽(たる)」と呼んでいたことからも、日本人の鯨との付き合い方とは、だいぶ異質なものであったことがわかる。

一九〇〇年ごろから世界的に捕鯨産業が大きく発展した一方で、乱獲によって一部の鯨が大きく数を減らしてしまった。第二次世界大戦後の一九四六年、国際捕鯨取締条約が結ばれ、捕っていい大型鯨の頭数や種類が決められるようになった。開戦と同時に母船式の捕鯨を中止していた日本も、この年から南氷洋での捕鯨を再開した。

その後、資源が減少したシロナガスクジラやナガスクジラ、ザトウクジラなどが保護されるようになり、産業として成り立たなくなったイギリスやオランダなどが捕鯨を中止する。そして、一九八二年、反捕鯨国が多数を占めるようになったＩＷＣが商業捕鯨モラトリアムを採択し、捕っても問題ないと科学者が認めているクジラまで捕ることができなくなってしまった。

ＩＷＣ加盟国で捕鯨再開を強く主張してきた国は、伝統的な捕鯨国である日本、ノルウェー、アイスランドであり、強硬に反対している国は、アメリカ、オーストラリア、ニュージーランド、オランダなどの畜産国だ。そこに、自国の畜産品を売るために鯨食を衰退させようとする隠された意図を感じないだろうか。モラトリアムに対し、日本は異議申し立てを行ったが、その後、アメリカの圧力でこれを撤回してしまった。そして、モラトリアムが発効した一九八七年から日本は南氷洋での商業捕鯨を中止し、調査捕鯨を開始することになる。

しかし、この調査捕鯨に対しても、反捕鯨団体シーシェパードが調査船に対して船で体当たりしたり、発射装置を使って酪酸（特有の不快臭を持ち、一度つくとなかなかその臭いが取れない）を撃ち込んだり、調査船のスクリューに絡ませるためにゴムボートからロープを海中投入したり……と、あたかも海賊のような妨害行為をたびたび行ってきた。

さらに、二〇一〇年、シーシェパードなど国際的な反捕鯨団体の主張を一方的に取り上げた映画『ザ・コーヴ』が、あろうことかアカデミー賞長編ドキュメンタリー映画賞を受賞した。隠し撮りする必要がないシーンまでわざわざ隠し撮りするなどハリウッド映画張りの過度な演出に加え、カメラの技術で海の色を変えるなど多分に脚色されたプロパガンダ映像なのだが、「日本の捕鯨は残虐非道」という印象を国際的に植え付けることに成功し、日本の鯨食離れにも拍車をかけた。舞台となった和歌山県太地町には、世界各国から反捕鯨家たちが押し寄せた。映画の題材にされたのは太地町のイルカ漁だ。ちなみに、イルカと鯨は別の生き物だと思われている節があるが、ハクジラのうち、体長が四メートルより小さいものがイルカと呼ばれている。

『ザ・コーヴ』は日本の捕鯨に圧力をかける大きなきっかけとなり、アカデミー賞から四年後の二〇一四年春には、日本の調査捕鯨は「商業捕鯨の隠れ蓑である」というオーストラリアの訴えに対し、国際司法裁判所（ＩＣＪ）が日本政府に捕鯨プログラム見直しを求めた。

この日本「敗訴」の報に触れ、「このままでは大好きな鯨の竜田揚げが食べられなくなる」と強い危機感を抱いたひとりの女性がいた。

（3）『ビハインド・ザ・コーヴ』（八木景子監督）が暴いた捕鯨問題の舞台裏

「映像の借りは映像で返す」と敢然（かんぜん）と立ち上がり、それまで映画製作の経験などなかったにもかかわらず、熱い思いとビデオカメラだけを抱いて太地町に乗り込んだのは八木景子監督だ。

一筋縄ではいかない撮影だったが、淡々と疑問を追い、捕鯨支持派のみならずシーシェパードの創始者ポール・ワトソン、『ザ・コーヴ』主演のリック・オバリー、監督のルイ・シホヨスら反捕鯨団体幹部にもひるまずインタビューを敢行。『ザ・コーヴ』から五年後の二〇一五年、映画『ビハインド・ザ・コーヴ』を発表し、この問題の裏にある深い闇を見事に浮かび上がらせた。

特に衝撃的だったのは、アメリカが日本の捕鯨をやり玉にあげ始めたきっかけが、ベトナム戦争中の一九七二年、ストックホルムでの国連人間環境会議（通称「ストックホルム会議」）であったこと。

この会議は、世界で初めての環境に関する政府間会合で、主催国スウェーデンのオロフ・パルメ首相は、ベトナム戦争に対するアメリカの介入を強硬に批判していた。そのまま環境会議に突入すれば、ベトナムに枯葉剤を撒（ま）きまくっている自国が糾弾（きゅうだん）されることが明らかだったアメリカは、そこから目を背（そむ）けさせるために、日本の捕鯨を急遽（きゅうきょ）議題に追加し、スケープゴートにしたのだ。ご丁寧に、アメリカは同年、海洋哺乳類保護法を施行している。その裏で、ミサイルや衛星の潤滑（じゅんかつ）油として使用するマッコウクジラの頭油を日本から輸入していた。

当時、アメリカはソ連との冷戦の最中だった。互いに軍拡にしのぎを削る中、温度差に強いマッコウクジラの頭油は必需品だったが、国として「反捕鯨」を掲げている以上、ソ連のような「自給」はもちろん、輸入も大っぴらにはできない。カムフラージュのために「高級アルコール」として輸入していたというから、ご都合主義に開いた口がふさがらない（後日談だが、スウェーデンのパルメ首相は、会議から一四年後の一九八六年、暗殺されて

反捕鯨の偽善と捕鯨問題の裏にある闇を浮かび上がらせた映画『ビハインド・ザ・コーヴ』のポスター

いる）。

私が会長を務める「防人（さきもり）と歩む会」で平成三〇（二〇一八）年に、八木監督を招いて上映会を行ったところ、直前にロンドン国際映画制作者祭で最優秀監督賞を受賞した快挙も重なり、超満員となった。「欧米だって、かつては国営で捕鯨をやっていた。その時は鯨は賢くなかったんだろうか」。素朴な元捕鯨師の言葉に、会場が沸く。印象深かったのが、「神武天皇は古事記の中で『鯨を皆で分け合いましょう』と唄っている」というシーンだ。

八木監督は言う。「昨今では〝事なかれ主義〟が日本の主流となり、脅（おど）しに怯（おび）え立ち向かうことをしなくなってしまったように思えてなりません。捕鯨問題は国際社会で起きているさまざまな日本の対応のあり方の縮図に見えます」。

日本の尊厳と文化を守るためにも、時に敢然と戦う気概が必要なのだと、同作品と八木監督の生き様が教えてくれた。

（４）小学生が授業で見学、ツチクジラの解体——千葉県和田浦

一九八二年のＩＷＣによるモラトリアムによって規制の対象になったのは、ミンククジ

ラ、イワシクジラ、ニタリクジラなど一三種類の大型鯨類だ。ツチクジラ、ゴンドウクジラなどそこに含まれない小型鯨類の捕獲は、国や県の管理下で行われてきた。日本の代表的な捕鯨基地は、北海道の網走（あばしり）と函館、宮城県石巻（いしのまき）市の鮎川（あゆかわ）、千葉県南房総市の和田、そして和歌山県の太地町だ。

　このうち、年間二六頭のツチクジラを捕獲している南房総市の和田浦を、平成二八年、取材した。とにかく驚いたのは、会う人会う人、鯨への思いを熱く語ることだ。中でも心に残ったのは、南房総市立和田小学校（現在は嶺南（れいなん）小学校）で教育の一環として子供たちと鯨が深く関わっていること。森田典子校長（当時）によれば、幼稚園のときから子供の発達段階に応じて鯨に関わる学習が計画されている。幼稚園では、園外保育のお散歩で鯨資料館に立ち寄り、鯨のオブジェを触ったり見学したりする。小学校一・二年生になると遠足で同じ場所を訪れながらも、幼稚園時代とは違う発見をする。四年生になると、総合学習の中にある南房総学（「南房総市への誇りと強い思い」を育てるために、地域の自然や産業、伝統文化を学び体験する学習）で「町自慢」として改めて捕鯨について学び、五年生では、社会科で産業との関わり、環境問題といった切り口から鯨を題材にして勉強する。六年生になると、さらに発展させ、修学旅行で交流している他県の小学校に和田の捕鯨について紹介するという。

取材当日、日本で唯一、鯨の解体を公開している外房捕鯨株式会社の庄司義則社長自らが小学校に出向いて行う、四・五年生向けの授業を見学させて頂いた。


全長一二メートルほどのツチクジラは、長さ約二五メートルの船に六人が乗って捕ってくる。その後の解体の様子は、すでに全員が見学済みで、そこでも大勢の人が働いていることを子供たちは知っている。「いろんな仕事があって、ひとりではできない。人間は役割分担があり、協力し合っている。喧嘩したりいろいろあるだろうけれど、我慢してつきあって生きていくことも大事」という庄司社長の話を子供たちは真剣に聞いていた。

解体を見学した際の感想を聞くと、「血がいっぱい出てきて、びっくりした」「人がいっぱいいて、臭いが臭かった」「気持ち悪かった」とそれぞれに正直な答えが返ってきた。生々しい現場の臭いや血に衝撃は受けているものの、だからと言って、捕鯨や鯨食を否定する子供はひとりもいない。むしろ、「おいしい」「料理はすごい食べてる」「和田には鯨専門の店があるから、いいと思う！」「どんな料理にしてもおいしいから、いろんな人に食べてほしい」「和田町の自慢！」と好んで食べ、子供ながら町の誇りに思っていることが伝わってくる。中には、「高タンパク・低カロリーのところがいい」と大人びた回答をする子供もいた。

庄司社長のお話を聞き、「鯨は大勢の人が協力して捕るんだとわかった」「捕鯨をする会社が、関東地方ではひとつしかないと知った」「捕鯨や解体以外にも加工をしていることがわかった」と捕鯨への理解がまた一段と深まったようだ。髪を三つ編みにしたひとりの女の子が目を輝かせて言った。「将来の夢が変わりました。鯨を捕る人か、解体する人になりたい！」。

和田町でクジラ料理の店「ぴーまん」を営む女将（おかみ）の櫟原（いちはら）八千代さんは言う。「外房捕鯨さんが捕ってくれているから商売に繋がるし、町のみんなも食べられる」「昔から鯨の命を頂きながら育ってきた。今の人はいろんなところからのいろんなものを食べられるが、もしそれが入ってこなくなったときにどうするかも考えるべきなのでは」「日本で古来食べられてきたものの価値を感じてほしい。子供たちには、それが感じられる和田に住んでいることのありがたさを知ってほしい」。

子供の頃から「生きる」ことの根源を直視し、体感し、そこに関わる人に敬意と憧（あこが）れをもって育っていく。これぞ生きた授業だと感嘆するとともに、鯨を中心に町が有機的にひとつに繋がり、共同体として生き生きと輝いている様子に心躍った。そして、その中核的な存在である庄司社長の言葉に、深く頷(うなず)かされた。「鯨の数が減らないように管理して捕っていけば、食べることが悪いとはどう考えても思えない」「問答無用で『捕っちゃいけない』は納得できない。そんなものに従う必要は、ない」。

(5) IWCは脱退したけれど……

平成三〇（二〇一八）年九月、ブラジルでIWCの総会が開かれた。日本は、資源の豊富な鯨種に限っての商業捕鯨再開を、法廷手続きの要件緩和と併せて提案した。しかし、オーストラリアなどの反捕鯨国から強硬な反対意見が相次ぎ、日本の提案は否決された。将来的にも再開は極めて厳しいと思われる状況にあった中、谷合正明(たにあいまさあき)農林水産副大臣（当時）は、「あらゆる選択肢を精査せざるを得ない」と、IWC脱退をほのめかした。

そもそもIWCは、「鯨類資源の保存」と「捕鯨産業の秩序ある発展」の両立を目的として一九四八年に設立された。しかし、次第に捕鯨反対の声が高まり、一九八二年に商業捕鯨モラトリアムを決定したのは前述の通りだ。その後も反捕鯨国の圧力は衰えることなく、「捕鯨産業の秩序ある発展」はＩＷＣに留まっていては、とても望めなくなった。子々孫々まで恵みを享受できるようにと、持続可能な捕鯨を行ってきた日本の文化を、反捕鯨国に札束で抱き込まれた国々が多数を占めて否定するような組織に拘泥し続ける必要はない。

令和元（二〇一九）年六月三〇日、日本はついにＩＷＣを脱退した。とかく事なかれ対応が目立つ日本も、やるときはやるものだと、快哉を叫んだものだった。そして、翌七月一日、三一年ぶりに晴れて商業捕鯨が再開された。ＩＷＣの頸木から解放され、かつてのように安くておいしい鯨肉が身近で食べられるようになる。そう期待したのは、私ばかりではなかっただろう。

ところが、である。それから半年が経っても、市場に出回る鯨肉はいっこうに増える気配がない。不思議に思っていたところに、衝撃のニュースが飛び込んできた。

政府は、ＩＷＣ脱退に伴う海外からの厳しい視線に配慮し、捕鯨枠を自ら制限。結果、捕鯨可能頭数の年間上限が調査捕鯨時の三分の二に減ったというのだ。具体的には、調査捕鯨（二〇一八年）では北西太平洋でミンククジラ一七〇頭、イワシクジラ一三四頭、南氷洋でクロミンククジラ三三三頭の合計六三七頭を捕っていた。それが、二〇二〇年以降、領海と排他的経済水域（ＥＥＺ）に限定した商業捕鯨でミンククジラ一七一頭、ニタリクジラ一八七頭、イワシクジラ二五頭の合計三八三頭になった。上限枠算出にはＩＷＣで採択された方式を使い、いずれも推定資源量の一％以下に抑制。日本沿岸の他の魚種の三～三〇％程度に比べ、いかに厳しい数字であるかがわかる。

これでは一体なんのためにＩＷＣを脱退したのか、まったく意味がわからない。「圧力に屈して、自ら手足を縛る日本」は、残念なことに、健在だった。

しかし、これまでの調査結果から、今では例えばクロミンククジラは南氷洋に五一万頭もいると推定されており、むしろ鯨の増えすぎで、その餌となるオキアミや魚が減るなどの影響が出ている。鯨類研究所によれば、全世界の鯨類が食す海洋資源の量は、年間二・五億～四・四億トンとされ、これは人間による漁獲量の三～五倍にあたる。鯨を過度に保護すれば、魚の量が減り、海の生態系のバランスが崩れていくのは明らかだ。

このまま策を講じなければ、古事記の時代から続いてきた日本の鯨食文化が、衰退・絶滅してしまうのではないか。そうなる前に、商業捕鯨を軌道に乗せ、捕鯨に携わる人々が将来像を描けるような道筋をつけるのが国の責務であろう。「もはや鯨肉の需要がない」という声も聞かれるが、目の前にないものは手に取りようもないし、目にしたところであまりに高価であれば、おいそれと手は出ない。かつてのように給食で、竜田揚げや大和煮、鯨カレーなどを出す地域や頻度を増やし、身近な食材としての認識を広めることも一案だ。免疫力を高めるビタミンAや血液をつくる鉄分を多く含み、高タンパク、低カロリー、牛・豚と違って脂も冷えても固まらない不飽和脂肪酸、抗疲労作用があり、認知症予防にも効果があるとされるバレニンが豊富と、鯨肉は優れた食材でもある。そうした知識もぜひ広めたいものだ。

好漁場である公海での捕鯨の権利を得るためには、国際条約への復帰が必要だ。IWCは、もともと国際捕鯨条約のもとに設置された委員会である。それを脱退したからには、日本が主導して、これに代わる新たな条約を捕鯨国で作ることも検討すべきだろう。

江藤拓(たく)農林水産大臣は、商業捕鯨再開一年に際し、「海外からはおおむね冷静な反応を得ている。我が国の対応が非常に評価されていることではないか」と述べたが、実態は「事なかれ対応」が評価されているのだとしか思えない。

海の生態系と日本文化、何より日本の尊厳を守るためにも、国には捕鯨枠の再考を強く求めたい。

おわりに——日本人の使命

尖閣（せんかく）、拉致（らち）、教科書、皇統（こうとう）、大麻（たいま）、捕鯨（ほげい）……どれもこれも問題の本質を辿（たど）っていくと、結局「戦後体制」に行きつきます。戦後、アメリカを中心とする戦勝国によって日本に仕掛けられた時限爆弾が、ひたひたと威力を発揮し、日本を骨抜きにしました。「敵ながら天晴（あっぱ）れ」と言いたくなるような見事さです。

もともと島国で和を尊び、人を疑うことをよしとしない素直な国民性という土壌があり、そこに教育とマスメディアというＧＨＱの仕掛けた二大洗脳ツールが、効果的に日本人の「精神的武装解除」を行ってきました。世界「マスコミ信じるランキング」で、日本は「ぶっちぎりの一位」だそうです。現場を体験して、それをどうマスメディアが報じたかを見れば、公正な報道を望むことがいかに困難か、すぐに実感できます。しかしながら、現場を体験するということはなかなかできるものではないことも事実です。

そうやって、教育とマスメディアが作り上げた幻想は無限にありますが、象徴的な存在のひとつは、国連かもしれません。「平和の殿堂（でんどう）」のような印象を抱いている日本人が多い気がしますが、その実、英語の名前the United Nationsを見れば明らかなように、もともとは第二次世界大戦で日本が戦った戦勝国連合です。それを思えば、本書で紹介した国連女子差別撤廃委員会が皇位継承に関していちゃもんをつけてきたり、国連人間環境会議で日本の捕鯨がやり玉に上がったりすることも、なるほどと思わざるを得ません。日本を貶（おとし）め、弱体化させようとするプロパガンダは現在進行中です。

こうした幻想から目覚めなければ、日本は日本でなくなってしまいます。日本人が目覚めるのが早いか、日本が日本でなくなるのが先か、今、その瀬戸際（せとぎわ）に来ているように思えてなりません。本書の中で、私は「日本に男はいないのか？」と挑発的な言葉を吐きました。不愉快な思いをされた方がいらしたら申し訳なく思いますが、私の抱く危機感の表れだとご寛容頂ければ幸いです。

本書を書いている最中に、予備役ブルーリボンの会に一冊の本が送られてきました。元陸上自衛官の飯塚泰樹（やすき）さんが書かれた『平成の自衛官を終えて―任務、未だ完了せず―』

という自叙伝です。飯塚さんは、第一空挺団に勤務していたときに横田めぐみさんの拉致を知り、「我々自衛官、特に空挺隊員は、いずれこの事案対処に赴くはずであり、そうでなければいけない！」と強く思ったそうです。以来、「拉致被害者の救出」を自ら果たすべき任務として自分の中に明確に位置付け、その後の自衛官人生を送られました。

二度の米国留学も経験されているのですが、その際、「自分の国と他国の間で現在起きている軍事的問題について」ディスカッションする授業があり、飯塚さんは拉致問題を取り上げ、説明しました。するとクラスメートから、「それでどうしたのか？　拉致された日本人を助けたのか？」と聞かれ、「助けていない」と答えると、「助けには行ったのか？」とみんなから尋ねられ、「行っていない」と返すと、「なぜ、行かないのか？」と質問され、「法的制約のために命令が出ない」と答えたものの、呆れ果てたような反応が返ってきた上に「侵略の被害に遭っている国民も助けに行かないなんて、お前たちの存在価値はどこにあるのか？」と批判され、立つ瀬がなかったそうです。

帰国後、悔しさをバネに変えて飯塚さんは、行動しました。拉致被害者・増元るみ子さんの弟・増元照明さんを駐屯地に講演に呼ぼうとしたのです。あるところまではうまくことが運んでいたにもかかわらず、上級部隊によって「拉致問題に関し、過去に増元さんが政府の見解と異なる発言をされた」という理由で潰されてしまったそうです。「最優先課題として取り組む」と言いながら、四〇年間も被害者を取り返せない政府をご家族が批判して何が悪いのでしょう。まったく納得がいきません。

しかしながら、こうやって自衛隊という組織の中にあって、自分の信念を忘れることなく戦い続けてきた隊員さんが現実におられたことを知ることができ、勇気づけられたのも事実です。第二章で記したとおり、予備役ブルーリボンの会では「拉致被害者救出に自衛隊の活用を！」と訴えています。しかし、そうした声を上げると、「憲法の制約があって…」という首相を筆頭に、「情報もないのにできるはずがない」「自衛官の命をなんだと思っているのだ」と否定的な意見を言ってくる人が少なからずいます。残念ながら、必要な法律をつくることが仕事であるはずの国会議員や、国民を助ける当事者であるはずの自衛隊関係者にも、です。

そんな中、つい先日まで現職自衛官だった飯塚さんが吐露してくださった自らの思いと、その思いを抱きながら送った現実の自衛官人生は、私の心の琴線に触れるものでした。

本書で紹介してきた通り、よく目を凝らせば、飯塚さんに限らず、また自衛隊に限らず、戦う意志のある人、リスクを負いながら既に戦っている人はいるのです。

昨年来のコロナ禍にもかかわらず、映画『鬼滅の刃　無限列車編』が国内歴代興行収入一位の金字塔を打ち立てました。大人も子供も夢中にさせるこの作品は、戦後体制によって失われたと私が嘆いている「尚武の精神」の塊のようなキャラクターたちがスクリーン狭しと暴れまわります。そこに描かれているのは、単なる勧善懲悪でなく、相打ちや自己犠牲を厭わない、極めて日本的な戦いぶりです。しかも、そうした精神を宿し、一般隊士とは格の違う強さを持つ剣士を「柱」と呼んでいます。本文中でご紹介したとおり、これは神様を数えるときに使う言葉。暗に彼らが神のような存在だと言っているのだと、私は理解しました。こうした作品が、現代日本人の心を鷲づかみにしているところに希望を感じます。日本社会から戦う気概が失われて久しいように思えてしまいますが、この作品がヒットしたということは、日本人の中に実は、尚武の精神に対する渇望があるのではないでしょうか。

和を尊びながら、それが脅かされそうになったときには戦うことも辞さないという大和魂を持つ日本人がリーダーシップをとれば、世界平和の実現にも地球環境問題解決にも大きく貢献できると私は確信しています。というより、それこそが日本人の使命だと思えてなりません。本書が、みなさんの中にある遺伝子にぽっと灯(ひ)を灯す存在になれることを心から願っています。

最後に、本書を出版するにあたり、扶桑社の大越昌宏さんと友人の栗田亥之介さんに大変お世話になりました。この場を借りて、御礼申し上げます。

令和三年五月八日

葛城　奈海

参考文献

『日本、遥かなり』門田隆将（ＰＨＰ研究所）
『消えた２７７人』毎日ワンズ編集部・特定失踪者問題調査会（毎日ワンズ）
『自衛隊幻想』荒木和博・荒谷卓・伊藤祐靖・予備役ブルーリボンの会（産経新聞出版）
『大東亜戦争　失われた真実』奥本康大・葛城奈海（ハート出版）
『別冊宝島　誰も見たことのない日本の領土ＤＶＤ』（宝島社）
『正論ＳＰ　ｖｏｌ．２天皇との絆が実感できる１００の視座』（日本工業新聞社）
『天皇の島』児島襄（角川文庫）
『［復刻版］初等科國語［中学年版］』葛城奈海解説（ハート出版）
『天皇の日本史』矢作直樹（青林堂）
『天皇』矢作直樹（扶桑社）
『みことのり』森清人撰（錦正社）
『「女性天皇」と「女系天皇」はどう違うのか』竹田恒泰・谷田川惣（ＰＨＰ研究所）
『国のために死ねるか』伊藤祐靖（文春新書）
『大麻という農作物』大麻博物館（大麻博物館）
『もっと知りたい！　クジラブック』（朝日小学生新聞　総合学習副読本）
『もっと知りたい　クジラブック』（朝日中学生ウィークリー　総合学習副読本）
映画『ビハインド・ザ・コーヴ～捕鯨問題の謎に迫る～』パンフレット
『国連の正体』藤井厳喜（ダイレクト出版）
『株式会社アメリカの日本解体計画』堤未果（経営科学出版）
『平成の自衛官を終えて―任務、未だ完了せず―』飯塚泰樹（幻冬舎）

【著者略歴】
葛城奈海（かつらぎ・なみ）
ジャーナリスト・俳優。防人と歩む会会長。やおよろずの森代表。
東京大学農学部卒業後、自然環境問題・安全保障問題に取り組み、森づくり、米づくり、漁業活動等の現場体験をもとにメッセージを発信。TBSラジオ『ちょっと森林のはなし』森の案内人（2008年〜2011年）。2011年から尖閣諸島海域に漁船で15回渡り、現場の実態をレポート。元予備3等陸曹。予備役ブルーリボンの会幹事長。北朝鮮向け短波放送「しおかぜ」でアナウンスを担当。日本文化チャンネル桜『Front Japan桜』レギュラー出演中。産経新聞『直球＆曲球』連載中。共著に『国防女子が行く』（ビジネス社）、『大東亜戦争 失われた真実』（ハート出版）、解説書に『［復刻版］初等科國語［中学年版］』（ハート出版）、新著に『日本を守るため、明日から戦えますか?』（ビジネス社）がある。

戦うことは「悪」ですか
サムライが消えた武士道の国で、いま私たちがなすべきこと

発行日　2021年6月10日　初版第1刷発行
　　　　2023年6月10日　　　第5刷発行
著　者　葛城奈海
発行者　久保田榮一
発行所　株式会社　扶桑社
〒105-8070　東京都港区芝浦1-1-1　浜松町ビルディング
電話　03-6368-8870（編集）
　　　03-6368-8891（郵便室）
本文組版　株式会社　明昌堂
印刷・製本　サンケイ総合印刷株式会社

ISBN 978-4-594-08800-2
JASRAC 出 2104154-305